DAISY
ON THE
OUTER
LINE

ROSS SAYERS

gob stopp

First published in 2020 by Gob Stopper

Gob Stopper is an imprint of Cranachan Publishing Limited

ISBN: 978-1-911279-77-8

eISBN: 978-1-911279-78-5

Glasgow Subway Illustration © Charlie Care

The publisher acknowledges receipt of the Scottish Government's Scots Language Publication Grant towards this publication.

Scottish Government
Riaghaltas na h-Alba
gov.scot

www.cranachanpublishing.co.uk

@cranachanbooks

cranachan

For Gran and Agnes, who are both rarely seen without a book in one hand and a glass of red in the other.

Glasgow Subway Map

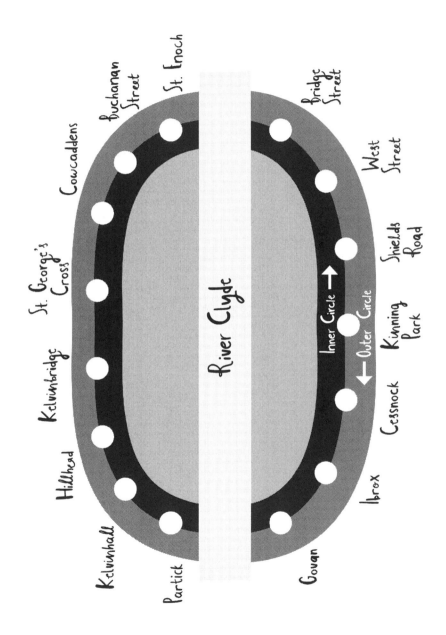

St. Enoch
Buchanan Street
Cowcaddens
St. George's Cross
Kelvinbridge
Hillhead
Kelvinhall
Partick
Govan
Ibrox
Cessnock
Kinning Park
Shields Road
West Street
Bridge Street

River Clyde

Inner Circle
Outer Circle

Part One

Adult, Single

1

'Do you consider yourself a guarded person, Daisy?'

'How? Wis someone talkin aboot me?'

Through the office blinds, ah see a pair ae eyes tryin tae huv a swatch at us fae the corridor. They disappear afore ah can work oot if ah recognise them.

Across fae me, Siobhan smiles and shakes her heid. When Siobhan smiles and disnae reply, it means *please go on*. She hus a wide range ae smiles. The *I wouldn't quite agree with that* smile. The *I don't understand that reference* smile. The *You're only here because another student dropped out and you managed to jump the stupidly long counselling queue by giving worrying answers in the online mental health and wellbeing questionnaire* smile. Mibbe ah jist imagined that last yin.

We're meant tae be pals, me and Siobhan. Ah call her Siobhan insteid ae Dr Livingstone and everyhin.

'No one's been talking about you,' Siobhan says. 'I'm just trying to get to know you, Daisy. We've had a few sessions now and I don't feel I've got you to come out of your shell very much.'

She says that lit it's a bad hing. Whit is she comparin me tae? A turtle? Whaur wid a turtle be withoot its shell? Up shite creek, that's whaur. Stomped under the heel ae some great big bugger wi nae way tae defend itsel. Turtles need shells. People need shells tae. Otherwise ye're aw soft belly and anybody can jist *splat* ye whenever they fancy. See that way turtles *sook* their heid and arms back intae their shell when thur feart? Ah wish ah could dae that.

'How's the last couple of weeks been?' Siobhan asks.

'Fine.'

'Just fine?'

'Jist fine.'

'What have you been up to?'

'Nuhin interestin.'

'Why don't you tell me anyway. I find most things interesting.'

Siobhan still likes tae huv her boundaries and she's strict when she needs tae be. We keep up appearances that we're pals but we're no really. If ah say suhin and she hinks it's stupit, she disnae go on her group chat and slag me aff lit an actual, normal pal. She tells me tae ma face, lit some kind ae well-adjusted adult.

'Okay,' ah say, runnin ma fing'rnails along the upholstery ae this stiff seat she makes me sit in. The *new chair* smell still lingers. 'Ah watched a lot ae *It's Always Sunny*.'

The *I don't understand that reference* smile.

'And what's that?'

She moves her notepad fae the armrest ae the chair tae her lap. She uses a red pen lit a teacher which ah hink is a bit on the nose. Thur's stuff written doon but ah niver saw her write it. Ah cannae mind huvin said anyhin worth writin doon.

'It's a programme,' ah say. 'Every season's up on Netflix. Ah spent a few days camped oot on the couch re-watchin it, since uni's done fur Christmas and ah don't feel that sense ae guilt every wakin moment that ah'm no daein coursework. Aw the characters urr complete pricks. It's great.'

'Yes, I can see why that would appeal.'

Normally, when ah finish a sentence, Siobhan nods then takes her time tae reply, lit she's really hinkin aboot whit ah said. Lit she's really lookin fur the deeper meanin in ma chat.

The clock on the wall ticks and tocks tae fill the silence. In the corridor, a woman walks by the office windae, wearin a blue Santa hat wi a wee bell on the end ae it. The jingle-jangle she makes as she walks can jist aboot be heard through the glass.

'What else?' Siobhan asks. 'Oh, have you been taking notes on your phone like I asked you to?'

And there wis me hinkin she'd furgot the homework assignment she set me. *Please keep a short diary of what you get up to each day.* Ah take ma phone oot ma pocket and open up the notes app. It's full ae useless shite that ah shid probably delete, lit auld shoppin lists and draft messages tae boys that ah niver end up sendin anyway. Sometimes ah wonder if anybody oot there hus a draft message in *their* notes fur me. Probably no.

'They're no exactly detailed,' ah tell her.

'That's fine.'

'Honestly, it's barely even worth it.'

'Let's hear what you've got, please.'

Ah huff and puff while ah scroll tae the first note ah made, as if the exertion is really takin it oot ae me.

'Wednesday 6th ae December,' ah read on the screen. 'Ah went tae the pub tae watch the Liverpool game. Frances and Sam were baith busy. We won 7-0.'

Thur's spellin mistakes in every other word. Ah swear ah only ever mind tae write stuff doon when ah'm three rum and cokes deep. But spellin's subjective, eh?

Siobhan hits me wi another *please go on* smile. Ah shift in ma seat tae get comfy. Probably best tae jist rattle through these and get it ower wi.

'Thursday the 7th, ah hud tae work the close at work. Maggie's brother works at Central Station and some mad guy pushed him on tae the train tracks. Maggie hud tae go tae the hospital and ah wis the only yin that could cover the tills. Ah wis— *furgive ma language*—no fuckin best pleased.

'Friday the 8th, hud a seminar first hing then went straight hame. Thought aboot goin fur a run but ah could feel shinsplints comin on jist sittin on the couch so ah hud another rest day tae be safe.

'Saturday the 9th, went oot in toon. Catty. The

Cathoose.' Ah explain fur Siobhan's benefit. I'm no sure if she wis a Catty gurl back in her day or no. 'Don't mind much. Frances says ah got aff wi some random lassie, but ah don't mind it so ah'm fairly sure she wis windin me up.'

Ah checked the Catty Facebook page the next day and thur wis nae photie evidence. These nightclub photographers urr lit panthers, creepin aboot in the shadows, only seen when they want tae be seen.

'Sunday the 10th, maistly spent hungover in bed, feelin sorry fur masel. Ah hud the fear til aboot half three when ma McDonald's arrived. The delivery guy wis flirtin wi me but, come on mate, ye spilled hauf ma strawberry milkshake on the way ower here. Ah widnae let ye gie me a backie, that's aw ah'll say on the matter.

'Monday the 11th, me and Frances hud pizza at Bier Halle, two fur wan. We wur meant tae go tae this other pub but Frances read an article online sayin they'd found mice in the same chain in Glasgow, so she overruled me. Ah quite like mice, as it happens.

'Tuesday the 12th, fairly sure somebdy's stealin fae me or ah've got memory loss cause ma claithes keep goin missin. Spent the mornin lookin fur ma favourite purple jumper. Still AWOL. Aw, and on that note, thur wis a day whaur ah wis pure para cause ah found the flat door unlocked and ah wis sure ah'd locked it. Ah hink the two urr connected.

'Thursday the 14th, tried tae get ma phone upgraded but the Apple shop wis shut. Apparently, they'd found a note on Buchanan Street written by some wife who said she wis gonnae attack the manager and they closed the shop as a precaution. Which didnae help me, aw the way intae toon fur nuhin.'

Ah lock ma phone, which hus a dodgy home button cause ah've still no been back tae the Apple shop since then.

'That's aw ah've got,' ah tell Siobhan. 'Some days ah wid jist furget tae dae it. Ah'm no really a diary kind ae person.'

Siobhan shifts on her chair and scrunches up her face. It's the same kind ae face ah make every time ah walk in this room and smell that lavender hingy she keeps by the door.

'I can't help but notice,' Siobhan says. 'There's something fairly... *important* you didn't make note of.'

Ma heart beats faster. *Boom boom boom boom. Deep breaths, Daisy, deep breaths.* Ah stare at the flair insteid ae meetin her eye. Is she gonnae note this doon? Can she hear ma heart fae across the room? *Daisy's heart rate increased and she couldn't make eye contact and this indicates... something.* It disnae mean anyhin. No everyhin means suhin.

You are such a waste of space she hates you and no wonder. Couldn't even keep a diary right.

The words come eventually.

'D'ye mean that ma stepda died six days ago?'

2

'It was Steven, wasn't it?'

Fur a minute there, ah really thought ah could come in here, talk aboot whit telly ah've watched the last couple ae weeks and then leave.

Ah suppose ah still could. But Siobhan widnae be happy wi me. It's kind ae lit ma piano lessons in high school. Ah widnae practise and then ah'd make an erse ae ma chords in front ae ma tutor and feel heavy guilty. Then ah'd tell masel ah'd *definitely* practise fur next week cause ah didnae want tae go through *that* again. Ah'll definitely practise ma answers fur ma next counsellin session.

'Aye,' ah say. 'His name wis Steven.'

The red pen springs intae action. This must be lit counsellin dynamite fur her.

'How did it happen?' she asks.

'Well, ah imagine his parents started callin him it and it jist stuck.'

We're past the smiley part ae the session. Siobhan makes great big swoops on her pad. *Daisy is making jokes to mask the pain.* Ah could be a counsellor nae bother.

'Come on, Daisy. I only know about this because *you* WhatsApp'd me to tell me. You obviously know this is a big deal and that we'll need to discuss it. How did he die?'

Thur's a photie ae Siobhan and her husband on her desk. Any time ah've tried tae find oot anyhin aboot her hame life, she dodges the question. *I wouldn't bore you.* Ah wonder if she's got kids. Thur probably ma age if she does. Ah wonder if she makes them keep a diary on their phone tae.

'Ma mum phoned on Saturday night,' ah say. 'Ah patched it and she left a message. Ah wis hauf asleep when ah listened tae it, then ah accidentally deleted it efter. Niver been able tae work ma voicemail; it's useless. The general gist ae the message wis Steven hud some kind ae heart attack on Saturday night. Ah dunno whit brought it on. Ah vaguely mind her sayin suhin aboot… trouble at the pub? They took him tae the hospital but he wis awready gone.'

'And how did that make you feel?'

Noo there's a question. Ah could be honest. Tell her ah didnae feel anyhin. That ah barely knew Steven. Ah didnae *want* tae know Steven. Ah dunno whaur this expectation comes fae, that ye're meant tae be pals wi the guy who starts sleepin wi yer mum then moves intae the hoose ye grew up in as soon as ye move away tae uni.

'Ah suppose it's no quite hit me yet,' ah say. 'Ah feel numb, if that's the right word.'

This seems tae please her. Her heid nods long and deep, her chin practically touchin her chest. The pen goes wild, irritatin the paper every which way. *Daisy is numb! But I'm not! Because I am such a good fucking counsellor!!!*

'Mm,' she says. 'That makes total sense. And how's your mum dealing with it?'

Again, the truth is jist gonnae upset Siobhan. Ah widnae want tae upset somebdy unless ah really hud tae. Ah've no spoken tae ma mum since she left that message. She's phoned at least once a day but ah patch it every time. Ah've sent a couple ae texts. Ah'm no gid at articulatin ma feelins on the phone. Aw that's gonnae happen is ah'll accidentally say the wrong hing, ma mum'll take it the wrong way, and then it becomes a hale ordeal. Ah'm daein us baith a favour.

'She's so-so,' ah say. 'Ah hink the funeral's gonnae be hard fur her, obviously, but efter that, it'll be awright. Everyhin's awright in the end.'

'And when's the funeral?'

'This efternoon.'

A truth.

'And you're going?'

'Aye.'

A lie.

Siobhan closes ower her notepad in a dramatic fashion. She sighs.

'Daisy,' she says, scratchin a nail against the corner ae her mooth. 'I'm struggling to work out whether you're telling me the truth here. You didn't bring up Steven *once* in our previous sessions. No, sorry, wait, there was that one time where you referred to him as 'Stepdad

Cuntybaws'. Are you *really* numb? Or are you just saying what you think I want to hear?'

It's a trap. Ah know it is. The notepad in her lap is closed but the yin in her brain is wide open, ready tae make me oot tae be some horrible, heartless monster. Ye know whit, Siobhan, ye're no ma mum, and ye're no Mrs De Luca, ma high school piano teacher, may she rest in peace. Ye're a random stranger that got assigned tae me efter ma Philosophy tutor thought ah wis showin a *troubling pattern of behaviour* and suggested ah take some time away fae uni fur a few weeks. Ah don't care whit you hink.

'Ah'm feelin the same as ah iways dae,' ah say. 'Fae ma point ae view, nuhin's changed. Ah didnae know Steven. It's lit… when ye hear on the news that somebdy's died. Ye go 'aw, that's sad' and then they move on tae the weather and ye don't hink aboot that person again. His funeral's the day, aye, but ah'm still no decided if ah'm goin or no. Funny hing is, ah've got a Tinder date in a couple ae oors. Ah'd organised it afore Steven died so ah don't hink it's in bad taste.

'Ah know ma mum's upset. Ah know she'll be annoyed that ah've no been there fur her but… Steven wis *her* man. That wis her choice. Ma choice wis no tae huv anyhin tae dae wi him. If ah hud a boyfriend, unlikely as that might seem, and he died, ah widnae expect folk that didnae know him tae be in floods ae tears.

'So grief disnae come intae it fur me. Ma feelins urr valid, urr they no? Is that no whit ye're iways tellin me? So ma *lack* ae feelins shid be valid as well, surely? Ah've awready lost a da. He walked oot on us, classic da move, see yeese later. So ah'm no gonnae choose tae lose another. Steven wis jist… a guy that died. And that's sad, aye, but…'

Ah don't finish the sentence, cause ah don't know how tae end it.

Siobhan's eyebrows urr stuck in a permanently raised state. Her hawn slowly moves tae her notepad tae open it again. She's gonnae tell me thur's a lot tae unpack here.

'Daisy,' she says. 'There's a lot to unpack here. It's natural to react… angrily to death. And to lash out with, maybe, some not so nice things.'

That didnae take long. Ah knew she didnae like me. Ah knew we wurnae pals. It's aw fur show. Why the fuck does she hink ah'm a guarded person? Cause ae folk lit her jist kiddin on they care aboot ye. This is why ye shid jist stay in yer shell. People need shells.

But *no one needs* you.

'Ah'm jist bein honest,' ah tell her. 'Am ah really bein *that* nasty? Ah could tell ye suhin *actually* nasty, if ye want.'

The *please go on* smile.

'The last time ah saw Steven, it wis a few days afore he died, in Kelvingrove Park. Ah wis wi ma pal Frances and he tried tae say hiya. Ah ignored him. Jist flat oot walked by him and pretended ah didnae see him. He wis aw 'Daisy, Daisy, it's me, Steven,' and ah absolutely blanked him. Laughed at him, even. And, lit, ah don't feel bad aboot it.'

We sit in silence. Can a counsellor break up wi ye? If ye talk enough shite, will they jist call it a day at some point? Replace me wi somebdy fae the waitin list that's less ae a dick?

Siobhan taps her pen against her chin. She's so annoyingly calm aboot everyhin. It widnae surprise me if she's incapable ae producin sweat.

'Why didn't you make a note of that in your diary?'

'Whit?' ah say. 'Who cares? Ah've remembered it noo anyway.'

'You made a note about going for pizza at the Bier Halle, two for one, and you made a note about not getting your phone upgraded, but you didn't make a note after the last time you saw Steven. It clearly made an impact. You say you don't feel bad about it but you yourself just described it as nasty. I realise you have this tough exterior, big bad Daisy who doesn't have feelings, and you act like you don't care what anyone else thinks but… it's okay to care what other people think, Daisy. Newsflash, everyone does. It's part of being human. It's okay to regret that you never got to know your stepdad.'

Ah shake ma heid and try tae stop masel sayin anyhin daft.

'Fuck off, man.'

Ah need oot ae here. Ah grab ma bag and jaiket and head fur the door.

'Siobhan,' ah say. 'This hus been great, really *insightful* and that, but ah'll need tae leave early jist this once.'

She stays in her seat.

'You always leave early.'

'Well then, it's no a fuckin shock, is it?'

The reed diffuser by the door makes the room reek ae lavender. Every time wi that fuckin smell. Ah tip it ower as ah go past. The sticks rattle on tae the table and some fall tae the flair.

Ah open the door.

'I'll see you soon, Daisy,' Siobhan says, fae behind me.

The sound ae a Santa hat jingle-jangling greets me in the corridor. Ah take deep breaths and walk as fast as ah can.

3

'Did ye see that video ae the person gettin shot in Glasgow? It wis somewhaur on the outskirts.'

'Naw,' ah answer.

'Why no?'

'Why wid ah want tae watch that?'

Lookin innocent, he shrugs.

'It's viral.'

Ah didnae make it tae the funeral but ah don't hink Steven'll huv much tae say aboot it due tae him bein pan breid. Ah can still pit in an appearance at the purvey though, that shid be enough.

The taxi's takin us there. When ah say 'us', ah mean me and Robert, ma Tinder date. We hud a few drinks in toon and noo we're aff tae a purvey. Dinner and a fulm's so… 2016.

'Right, Robert,' ah say tae him.

'Robbie,' he corrects me.

His six-fit-four frame is hunched ower in the backseat next tae me lit an uncracked glowstick. Six-fit-four and the personality ae a wet napkin. It's hard tae hink ae a mair iconic duo than tall boys and huvin absolutely fuck aw chat. He ordered a pint ae Punk IPA at the pub and probably thought that made him stand oot.

'Robert, thur's gonnae be some questions at the purvey. Lit whaur we met, how long we've been thigether and that.'

Ah check ma makeup in ma pocket mirror. Ah'm aw wobbly. It's hard tae tell if the smudges urr on ma face or the mirror. Ah snap it shut.

'The Purvey?' Robert asks. 'Is that a pub in East Kilbride?'

The taxi swings roond wan ae many roondaboots. Ah pinch yin ae Robert's clean-shaven cheeks. He's no quite realised whaur we're aff tae, but he does huv a strong jawline fur a boy fae… whaurever it is he's fae.

'How come ye super liked me?' ah ask him.

He blinks lit a madman. Lit a blinkin madman who niver conceived that ah might actually ask why he opted fur the creepy super like. The only reason ah actually gave him a chance, except fae his height, is the fact that his openin message mentioned his favourite Frightened Rabbit album is *The Winter of Mixed Drinks* and it's rare ye meet somebdy wi such a correct opinion.

But why the super like? The only reasonable course ae action is fur him tae blame it on a slip ae the thumb and fur us baith tae pretend we believe that.

'Ah dunno,' he says. 'Ye jist seemed lit a nice girl.'

Fact: boys don't super like "nice girls" on Tinder. Boys super like lassies they hink urr gonnae be easy. Ah'm no sayin he wis right or wrong tae use a super like on me. Thur's been rumours aboot me floatin aboot since high school, but that's aw they urr.

'It's ma work's Christmas night oot the night,' ah say,

plantin the seed that this isnae an aw day affair. 'Ah'll get the sack if ah miss ma nine start the morra.'

Robert frowns.

'Ah thought ye said ye were self-employed when ye're no at uni?'

Ah'm findin it hard tae keep track ae whit lies ah've telt him. The truth is ah work in the Boots on Sauchiehall Street, but fur some reason at the pub ah said ah had ma ain private investigation business lit Veronica Mars. Ah um a bit lit Veronica Mars as it happens. Apart fae huvin a da that loves me. There ah go again, maskin ma pain wi humour. It must be a cry fur help.

'Ah *um* self-employed,' ah reply. 'But ah'm a really strict boss. Ah'd sack me like *that*.'

Ah snap ma fing'rs. Robert's a simple enough laddie so he nods lit he hinks he's daein awright. Ah can see it in his eyes that he's awready been on the lads group chat tae tell them he's pulled. Pulled an East Kilbride lassie. Probably a joke aboot roondaboots in there as well.

'Ye wur very obligin tae come aw the way tae East Kilbride wi me,' ah say. 'But ah've misled ye a bit. See we're no goin tae a pub. Well, we *urr*. We're goin tae ma stepda's purvey.'

He gies me a blank look. Ah realise he's no familiar wi the word "purvey". But—and ah cannae stress this enough—he is still six-fit-four.

'A purvey's a wake, Robert. Lit… the hing ye huv efter

ye bury somebdy.'

He laughs and flicks the wee air conditioner tree hingin fae the door handle. It jiggles up and doon and side tae side.

'Gid yin,' he says. 'Ah'd heard ye were a bit ae a wind-up merchant.'

The taxi pulls up near the pub. Ah look through the frosted windae and get the fear aboot leavin the warm taxi and steppin oot intae the freezin cauld again. December cauld in Scotland is lit nae other.

'This do ye, here?' says the driver.

Ah wonder whit wid happen if ah said 'naw'. Naw, this willnae dae me here. Take me tae whaur ah *actually* asked fur and no jist near it, whaur it's easiest fur ye tae stop. This willnae dae me here.

'Aye, this is grand,' ah say.

The driver reaches an arm tae the meter. His forearm is splashed wi a yella lightnin bolt tattoo. It's faded and obscured by thick hairs. He presses the button and it adds fifty pence tae the total fur nae reason whitsoever.

Ah hawn ower a twenty quid note. Ah'll take the hit fur the taxi since Robert paid fur aw the drinks in toon. Ah offered and he said naw. As long as ah make the offer, he cannae complain.

We step on tae the pavement and Robert slides the taxi door shut.

'Wait, wait,' Robert says, as the taxi shoots aff in the

direction ae Glasgow centre. 'Ye're jokin, aye? This is lit a, 'huv a laugh at the guy fae Tinder' type hing? And ye're gonnae tweet aboot it later?'

Ah gesture tae the mourners smokin thur rollies ootside the Montgomerie Arms. It wis Steven's favourite pub, accordin tae ma mum. And noo there's auld biddies dressed in black fur him at the smokin bit, some restin wan leg on the loupin staine oot the front.

'Ye're awready here,' ah say, leadin him across the road. 'Might as well come in fur wan.'

'B-but,' he stammers. 'We didnae even get oor story straight. Is yer family in there? When did we meet? Whaur did we meet? Urr we in love? Urr we hinkin aboot kids? Am ah gonnae be a stay-at-hame dad? Cause honestly ah've iways thought ah'd love that. And hame schoolin is definitely an option.'

Folk peer at me through the pub windaes. Mibbe ah deserve the stares but mibbe it's ma stepda that's up and died so mibbe ah don't care. Mibbe ah hink too much, or mibbe ah don't hink enough. Probably somewhaur inbetween the two.

'We'll jist wing it,' ah tell Robert.

Ah grab his hawn and power through the cloud ae smoke. Somebdy must be vapin cause thur's a raspberry tinge tae the air.

Pushin open the door, tinsel tickles ma heid. It hings loose whaur the Sellotape's worn aff.

'But if anybody asks: naw. We're absolutely, under nae circumstances, hinkin aboot kids. Bad enough that somebdy brought *me* intae this world. Widnae pass that affliction on.'

4

If this wis a fulm, thur'd be a record scratch and the music wid stop and everybody wid be starin at me and Robert. Everybody *is* starin right enough but *Wonderful Christmastime* by Paul McCartney's still goin strong ower the speakers.

Life isnae a fulm. It's barely even a story. Thur's nae such hing as gid guys and bad guys, thur's jist… guys. Cause sometimes folk dae nice hings, really lovely hings, and then a minute later they dae horrible, break yer heart hings.

But that widnae be easy tae digest over ninety minutes while ye munch yer popcorn and sook yer Tango Ice Blast. So we pretend thur's gid guys and bad guys and sort folk intae wan category or the other. We don't like tae believe thur's a giant chasm in the middle whaur everybody really sits.

And, above aw else, we're absolutely sure *we're* a gid guy. *Me? Aw, ah'm wan ae the gid guys.* Cause the alternative's no worth hinkin aboot. How wid ye get through the day if ye thought ye wur a bad guy?

Me and Robert trek tae the bar and nuzzle a wee gap in amongst the bodies. It's Christmastime, so whether somedy's died or no, the pints urr a-flowin.

'Ah'll hae a rum and coke,' ah tell him. 'And a pint ae Tennent's.'

He turns tae face the bar, then slowly twists his heid back roond.

'Two drinks?'

'It's Christmas, Robert. Baby Jesus widnae want us tae be judgemental durin his birthday week.'

He shid hink himsel lucky ah didnae go fur suhin mair top shelf, a Schiehallion or suhin. Ah'm too nice, really ah um.

Somebdy touches ma elbow. Mrs Casey, ma mum's next-door neighbour, wears a heavy black dress and a sympathetic look on her coupon. The sight ae her, pale as a ghost, wid make ye lose aw Christmas spirit. Mibbe ye shidnae be allowed tae huv funerals this close tae Christmas. Save them aw fur the middle ae January when folk urr needin a day aff thur work.

'Hiya, Daisy, dear,' she says. 'Ah'm so sorry fur yer loss.'

'Hullo, Mrs Casey,' ah reply. 'Thank you.'

Mrs Casey rubs her arms and shivers. She's iways cauld. She reaches a hawn oot towards the heater under the mirror nearby tae check it's on.

'Barman says it's on as high as it can go but ah'm no so sure,' she tells me. 'Ah didnae see ye at the cemetery?'

She tilts her heid. Her wee black funeral hat tilts as well. Ah imagine gently liftin ma hawn, haudin it in front ae her face fur a second, then skelpin the hat right aff her napper wi the back ae ma hawn.

'That's cause ah wisnae there, Mrs Casey.'

Robert passes me ma rum and coke. It's filled tae the brim wi ice. Whit a rookie mistake. Ye don't let them waste the space inside the glass wi ice. Hus this boy ever been oot the hoose afore?

'It wis jist... too much,' ah say tae Mrs Casey. 'Too much fur me.'

She squeezes ma shooder. Then she turns and goes back tae her table. Mrs Casey isnae that bad ah suppose. And that's wan mourner doon. If ah can keep up this pace, ah can huv rattled through them aw by the time the sausage rolls come oot.

Jim Hamilton, mum's pal fae school, is at the puggy. He slips another pound coin in the slot. He's no on the board but he wants tae be. A few cheers go up nearby. Folk urr at that stage whaur they're feelin awright tae huv a laugh and a joke cause they've done the sad bit, the cemetery bit, and noo life goes on.

'So efter these,' Robert says, and we break away fae the bar. 'Will we head somewhaur else? Somewhaur mair private?'

Ah've brought this laddie tae a purvey in East Kilbride and still he supposes this is a turn on fur me. It's tae be admired, his optimism, ah suppose.

'It is Steven's purvey, mate,' ah say. 'Bit insensitive tae be hinkin aboot gettin yer hole at a time lit this.'

'Who's Steven?' he asks.

'Ma stepda. It's lit ye don't even know me, Robert.'

'Robbie.'

'Whitever.'

Afore we can scope oot a wee table fur two, ma mum appears. Her eyes lock wi mine and render me unable tae move. She disnae even bother crossin her arms, as is iways her power move. They dangle at her sides as if too tired tae pit up a fight. She's stood right under the mistletoe but ah'm no gonnae mention it. Ah can haud back a joke fur once in ma puff.

'Hullo,' Mum says. 'Whaur wur ye?'

The pints ah hud in toon urr mixin wi the rum and coke ah've jist tanned and thur hittin me aw at once. Ah blink hard tae try and reset masel.

'Ah ran late,' ah say. 'Ah thought it wid be better tae catch yeese here, rather than turn up at the cemetery haufway through. Ah didnae mean tae miss it.'

'He wis yer da.'

That statement hings in the air. Robert shifts his weight, wan fit tae the other next tae me. He's decided tae run, ah can sense it, but he's no got the baws tae dae it yet.

'Well, yer stepda,' Mum says. 'But that shidnae matter. No the day. Ye shid've been there.'

'Mum,' ah say. 'Ah don't mean this in a bad way, but he wisnae ma da. Ma da walked oot on you and me, and ah don't want him back, or a new yin. And we don't talk aboot it and that's fine. Ah'm no upset aboot it anymair, it's jist the way it is. Da's jist urnae on the cairds fur me.'

Tears huv formed in her eyes. Ah didnae mean it but here we urr. Surrounded by fairy lights and flanked by tinsel. Tis the season fur family and mothers and daughters at odds wi each other, lit a bad episode ae *Eastenders*.

'Ah shid go,' Robert says.

'But we've only jist arrived,' ah say.

Ah hauf-heartedly pat him on the arm.

'Who's this strange boy ye've brought wi ye?' Mum says, dabbin at her eyes. 'Ye've finally got a boyfriend? And this is how ye introduce him tae me?'

'Ah'm Robbie,' he says, extendin a hawn. 'So sorry fur yer loss. But ah dae like the sound ae *boyfriend*.'

Mum stares at his hawn. And as if her gaze could move objects, he slowly drops it back doon tae his side.

'Even this random zoomer hus the decency tae offer his condolences,' Mum says. 'While you waltz in here late lit it's an efter party, makin yer jokes, callin everybody "mum".'

'Whit?' ah say, genuinely confused.

'Ah know how you young folk speak,' she says. 'Ye call each other "mum", don't ye?'

'Mum, ah don't know whit ye're smokin but ah want some.'

Ma mum seems tae huv lost the plot a bit. Grief'll make ye dae weird hings. Ma Auntie Jean stopped wearin socks when her da, ma granda, passed away. That wis it, nae mair socks, ever. She gets horrible bunions. Jist the worst yins ye can imagine.

'Ah don't want tae cause a scene,' ah say. 'We'll sit in the corner and stay oot the road.'

'A scene?' Mum yells, and gestures roond the pub, aw eyes on us noo. 'We widnae want a scene for oor Daisy, wid we? Och naw, we cannae huv Daisy bein uncomfortable.'

'Mum,' ah say, swappin ma empty tumbler fur the Tennent's Robert's haudin. 'Ah'm sorry ah missed the day, but we baith know me and Steven wurnae that close.'

'Don't start wi that. This wis his funeral and ye're a grown lassie noo. Nineteen goin on nine, aye, but ye're an adult. Ye cannae jist avoid anyhin that makes ye feel a wee bit awkward. This is how the world works and like it or naw, ye're part ae it. Ye're an adult and that means daein whit's expected ae ye.'

Mr Brightside starts up on the sound system. Slightly gassed folk raise thur fing'rs in the air tae indicate they know it's a belter. Ah wonder if it wis mum or the pub that chose the playlist. It's really easy tae be hilariously insensitive and accidentally stick on *Another One Bites the Dust* or *Going Underground*.

'Ah'm uncomfortable,' Robert says.

Ma mum gies him a death stare. Is 'death stare' an insensitive term at a purvey?

'So… ah'll head aff,' he says. 'Message ye later, Daisy?'

He begins buttonin up the jaiket that he niver got the chance tae take aff.

'Naw, Robert,' ah say. 'Naw, ah'll pit this tae bed noo. Ah've decided ah actually don't fancy ye lit ah thought ah did. Ma mistake, sorry.'

He fiddles wi his scarf and looks puzzled but nods.

'Aw, awright,' he says. 'Catch ye then.'

He's walkin away. He didnae even try fur a gidbye kiss. This disnae seem right. This is too easy.

'By the way,' he says ower his shooder, placin his hauf drunk pint doon on a windaesill by the door. 'Ye're fat and ah niver fancied ye anyway.'

There it is. Ah gie him a thumbs up as he ducks under the archway ae the exit and disappears. In ma limited experience, ah've found that men urr incapable ae bein rejected withoot turnin tae insults and pretendin they niver actually found ye attractive in the first place. Ah widnae huv got closure if he'd no called me fat. The lanky prick.

5

Maist folk in the pub urr watchin us noo. Even the regular punters that urnae here fur the purvey look on, glad ae some entertainment. It's lit a Christmas skit.

'Ah thought no turnin up wis bad,' Mum says. 'But noo this. Ye know, ah thought ah saw ye there. Ah saw a flash ae red hair in the cemetery, and jist fur a minute ah thought, mibbe oor Daisy isnae bein selfish fur once in her life. But ah shid've known better. Ye've made it aw aboot yersel, as usual, congratulations. Steven'll be rollin in his grave.'

'Aw aye, ah'm sure he's fumin,' ah say. 'First week in heaven and he's stormin aboot the clouds giein it "fuck sake cannae believe ma stepdaughter that ah niver talked tae showed up tae ma purvey a bit gassed, can ye believe this, Robin?"'

Mum raises a flat hawn up near ma face.

'Ah'd be giein ye wan ae these across yer puss,' she says. 'If it wur any other day. Who's Robin?'

'Robin Williams. Whit, urr ye sayin ye *don't* hink he's in heaven lit?'

Noo she rolls her eyes tae make it clear she's jist completely sick ae me. The song changes again. The Darkness—*Don't Let the Bells End*. The guitars urr so loud, we don't try and speak ower them.

Ah see ma reflection in the mirror next tae us. Ah

imagine, fur just a minute, that ah'm no Daisy. Ah imagine ah'm somebdy else, a stranger. Ah imagine ah've walked intae this pub and thur's a lassie wi red hair and ah'm introduced tae her. Her name's Daisy Douglas. We shake hawns. Folk don't seem tae like her. Even her pals urnae that fussed aboot her. They slag her aff when she goes tae the toilet. Some say she's a slut, but others say she's actually niver hud sex. She gies aff this vibe that she disnae care whit anyone hinks or says aboot her. It's mair than a vibe actually, she's constantly statin it as fact. Ah imagine us talkin and her makin the conversation aw aboot hersel and efter ten minutes ah make an excuse so ah can talk tae somebdy else. Ah imagine this kind ae situation in ma mind quite a lot, as it happens. Ah imagine it so much cause every time ah dae, ah cannae help but come tae the conclusion that ah widnae be pals wi Daisy. If ah wis somebdy else, ah widnae want tae be aroond me.

The music fades intae a softer song.

'Ye wur meant tae speak at the cemetery,' Mum says. 'So ah want ye tae dae it noo.'

Ah smile and take a sip ae ma pint. Wan ae the staff passes wi a tray ae empties, lookin stressed oot thur box. Servin punters at Christmas shid get ye suhin aff the Queen. OBE, MBE, wan ae them. See if they ever offered me yin, ah'd no take it. Ah don't know whit they'd be offerin me it fur, but ah'd no take it. Ah've iways wanted tae be on wan ae they "25 Celebs Who Refused Honours" Buzzfeed lists.

'Ye're kiddin?' ah say.

'Ah'm no.'

'Ye want me tae talk in front ae these folk?'

'Ye'll get up and make a speech aboot whit Steven meant tae ye. And ye'll mean it.'

She crosses her arms as if tae finalise it. Her strength's come back.

Whit Steven meant tae ye.

'Aye, fine,' ah say. 'If that's whit ye want.'

She goes tae the corner whaur the mourners urr sat and ah follow. A bigger, makeshift table hus been pit thigether wi a few ae the smaller yins lit pub Tetris. Some order ae services urr scattered here and there. Steven's face looks oot fae the circular photie on the front, smilin, wearin a gid shirt. It's recent: his hair salt and peppered, hairline receded, slightly wonky teeth jist peekin oot. He wis jist a guy.

Mum stands in the space by the windae and speaks ower the top ae everyone.

'Sorry, folks,' she says. 'Sorry tae interrupt again. That's the money behind the bar gone noo, ah wis tae let yeese know. Ah hope everybody got thur drink. And that's Daisy here. That's ma daughter. She's jist gonnae say a few words. Daisy?'

Mum swaps places wi me. Everybody's wearin thur

best sad smile. They don't know me and ah don't know them. Well, ah don't hink they know me. Steven could've telt them anyhin aboot me. Folk urr iways speakin aboot me when ah'm no aboot. Ah'm sure ae it.

They don't even talk about you they're just glad to have you gone.

'Awright, everybody,' ah say.

Mibbe they've been cursin ma name aw efternoon. Ah barely recognise anyone. Aw friends ae Steven's. That wid make sense since it's him that's died.

'Ah'm really sorry ah couldnae be there earlier. Ah heard it wis a beautiful service.'

Everyone nods. That's an easy yin. Every weddin, funeral and christenin is iways a *beautiful service*. It disnae matter if it wisnae, it's jist whit ye say. Thur's niver been a mingin service, or a disrespectful service, or an overly familiar service. A beautiful service. It's jist whit ye say.

'Ah… ah wisnae aw that close tae Steven.'

Mum pinches her mooth and clenches her fists. You asked me tae dae this, Mum. You know whit ah'm lit. Don't ye?

'When him and ma mum started goin oot, ah didnae really want tae know. Ye widnae, wid ye? He tried tae invite me tae hings, fitbaw games and race nights at the pub, but ah wis a teenage girl, and he wis an auld bloke.'

Ah could end hings here. Ah could. Wan guy swirls

the foam at the bottom ae his Tennent's glass. Probably debatin if it's worth stayin fur another since he's hud his free drink aff ma mum.

'Ah didnae hink he was gid enough fur ma mum, tae be honest. Mibbe nae man is. He spent aw his time watchin fitbaw or in this place. Fair enough, that's whit maist guys dae. But whaur wis his ambition? Why did he no want mair than his lot? Ah didnae know why ma mum wid be okay wi that.'

The tears start creepin doon Mum's cheeks. Folk urr shakin their heids and some get up and heid tae the bar. Why's naebody stoppin me? Ah wid stop if someone wid jist stop me.

'Somebdy shut this stupit lassie up,' wan geezer says. 'Or ah will.'

His eyes don't even meet mine. They sway between different bits ae the flair.

'Is this whit Steven wanted?' ah ask. 'Everybody tae sit aroond wi thur faces trippin them? Ah widnae want that. When ah die, ah don't want folk tae be sad. Ah want them tae be happy.'

The heckler speaks again.

'Ah can guarantee ye they'll be happy, hen.'

At the bar, ah see the staff whisperin tae each other, and the volume on the music, which ah didnae realise hud been turnt doon, is noo turnt back up.

'See that's whit ah mean,' ah say, tryin tae make masel

heard ower John Lennon. 'That's whit we shid be daein. Makin jokes. Aye, mate, gid yin. Ma pals *will* be happy when ah'm deid. Does that no jist pit a big smile on yer face?' Ah'm shoutin at this point. 'Eh? Is that no jist the best hing ye've ever heard? We'll aw be buzzin at my funeral, and yeese urr aw invited. Funerals, thur nuhin tae be sad aboot. Cheer up, aw ae yeese.'

Ah finish ma pint in a few big gulps, then slam the glass on the table. Except thur's nae space on the table and ma glass smashes intae another empty, and a few tumblers tip ower. It's lit watchin glass dominos, as mair and mair fall on thur sides, soakin the sausage rolls, glazin the tables wi lager. Folk jump back fae the edges ae the tables, checkin thur troosers fur wetness.

A bell rings. At the bar, a burly guy silences the bell wi wan hawn and points at me wi the other.

'You,' he shouts. 'Oot.'

Mum cuddles intae Mrs Casey.

'Jist go, Daisy,' Mum manages tae wail through her sobs.

Ah avoid eye contact wi anyone as ah squeeze through the tightly packed crowd towards the exit. Shakin' Stevens starts up. *Merry Christmas Everyone.*

'Mum,' ah turn and say. 'Ah didnae mean...'

But it's too late. Her and Mrs Casey urr haufway tae the loos.

The staff go ower tae the tables tae help clean up.

Steven's pals shake thur heids and gesture towards me. Paper towels get unwrapped and dispatched whaurever needed. Ah decide no tae offer a hawn. They'd only say naw. Ah pick up the tumbler Robert left behind as ah go oot the door.

It's baltic ootside. If only ah hud a big, strong man lit Robert here tae wrap his arms aroond me. Ah look forward tae ignorin the message ah receive fae him at three in the mornin a month or two fae noo. Suhin along the lines ae… *hiya long time no speak haha wubu2 saw u in tesco earlier but was too shy to speak to u lol x*

A few smokers urr bravin the cauld, leanin against the pub.

'Ye shid dae it,' a woman says tae her pal. 'Irish lottery, ah'm tellin ye, ye cannae *no* win it. The winnins paid fur ma teeth *and* thur wis enough left ower fur us tae upgrade tae HD Netflix.'

Ah take a sip ae Robert's pint. Ah wis raised on Blue WKD but when ah turned eighteen, ah saw the light. At this point, ah could chew lager standin on ma heid.

Thur's a wife ah don't recognise smokin a wee bit further doon the wall fae me.

'Awright,' ah say.

'Awright, hen,' she says, tightenin the zip tae the very top ae her leather jaiket. 'That wis some performance.'

'Cheers?'

'Naw, it wisnae a compliment. Ye'll be apologisin tae

yer mother ah shid hope.'

Ah finish aff the dregs ae the pint and sit the glass on the windae ledge. A stray bit ae paint peels aff the ledge and lodges itsel under ma fing'rnail.

'You a friend ae ma mum's?'

She stubs oot her fag and adjusts the crushed white floo'er on her jaiket. If ah knew mair aboot floo'ers ah'd take a stab at guessin whit kind it is. Ah know white means peace.

'Ye could say that,' she says. 'Ah knew Steven tae. Ye ken whit, ye were hauf right in there. He will be up in heaven lookin doon at us the day.'

'How did ye know ah said that?'

She looks me up and doon, then smiles.

'Ah know a lot ae hings,' she says. 'Ah know why aw crisps go oot ae date on a Saturday. Ah know whit the next iPhone is gonnae look like.'

The air aroond us seems tae get caulder. She carries on.

'Ah know ye've got a small circle ae friends, only two or three really, and ye tell yersel that's a choice. Ah know ye don't let folk get tae know ye properly, especially men. Ah know ye didnae organise yer date wi that Robbie laddie til efter Steven died.'

The wrinkles roond her eyes and mooth deepen as she braces against the winter wind that sweeps across us.

'Did ma mum pit ye up tae this?' ah ask.

An answer disnae come. She jist looks straight aheid. Ah turn away, pretendin ah'm interested in the magpie hoppin doon the road. It's on its lonesome so ah gie it a quick salute. When ah turn back roond, the woman's gone.

That leaves me listenin tae the icy wind driftin doon the road and zippin past ma ears. A taxi goes by and ah make a hauf-hearted attempt tae flag it. It drives on.

'Dick,' ah say.

Ah take ma phone oot and open up the Livescore app tae check if thur's any fitbaw on the night. Arsenal v Liverpool's the eight o'clock kick off; ah completely furgot aboot that. Might pit a wee fiver on Salah first scorer.

'Ho, hen,' says a voice. 'Ye jist flag doon taxis fur a laugh?'

It's the taxi driver. He's made a u-turn fur me. That's a stroke ae luck. Ah need tae be back in the centre soon fur the Boots night oot.

6

'So basically, we shidnae be debatin if *Die Hard*'s a Christmas fulm. How many times dae we need tae argue aboot it? It's the same hing every year. Boring. Let's move on tae a mair important question. Is *It's a Wonderful Life* a fantasy fulm?'

Frances looks at me fur a response. Ah've no been properly listenin. When she starts up on wan ae her rants ah usually jist zone oot until it's ma turn tae speak again and hope she didnae end wi a question. And it's only me and her at the table right noo so it's no lit ah can wait fur someone else tae save me. Sam's away at the toilet and ah'm fairly sure the rest ae them urnae comin back fae the cash machine.

'Whit wis that?' ah ask. 'Die Hard? Aye, Die Hard's gid. Alan Rickman wi that beard, quite fit.'

Frances shakes her heid and takes a sip ae Heineken. *Only You* by Yazoo pulses through Jacksons. *Bingy Bong Bong Bong Bing Bong Bong Bong. Bingy Bong Bong Bong Bing Bong Bong Bong.*

'Wid ye gie up yer V card fur Alan Rickman?' Frances asks.

'Em, ah thought we agreed we wid niver discuss *the V card situation* in public,' ah tell her.

'Calm it, it's jist us. Whaur's Sam, anyway?'

'He's in the loo,' ah say. 'He's too nervous fur the

urinals, mind. He'll be ages waitin on the stall.'

'Whit aboot the rest?'

'They went tae get cash oot aboot an oor ago so ah'm hinkin they've patched us a belter.'

'Dae ye hink it's cause ae oor chat?'

'They've got a cheek judgin oor patter when Marianne still quotes Ace Ventura on a daily basis.'

It's absolutely heavin in the pub. Ah've no been in here afore. Funny how ye end up goin fur yer Christmas night oot in a place whaur none ae yeese wid normally go.

Ah open ma notes app and start typin.

Friday 22nd December. Went 2 Steven's funeral, all went ok. Boots Christmas night out in Jacksons followed. To be concluded…

Frances looks bored sittin across the table fae me. Ah feel rude bein on ma phone but thur's nuhin stoppin her gettin hers oot. Ah save the note then pit ma phone doon.

'Who organises the Christmas night oot this close tae Christmas anyway?' ah ask. 'Too hoachin in here.'

'Last year they hud it in January,' Frances says.

'Tight bastarts.'

Ah get a wee waft ae pish every time the toilet door swings open. Some folk huv families tae travel hame tae at Christmas. Fair enough, no me, but normal folk. Maist ae the Boots crew huv they huge families lit in *Home Alone* and open thur presents in thur hoosecoats wi cups ae cocoa and wee marshmallows and somebdy's streamin it live on Facebook fur absolutely nae cunt tae watch.

'Whaur urr you fur Christmas?' ah ask Frances.

'Ma sister's,' she says. 'She's cookin a vegan turkey and ma da's awready fumin. He's gonnae choke himsel tae death on it on purpose jist tae make a point. Whit aboot you?'

Mum did want me tae come home fur Christmas dinner, but then Steven died and she didnae bring it up again so ah hink ah'm in the clear. My Auntie Jean'll probably be roond the hoose on the day anyway, so she'll no be on her ain.

'Ah'm plannin tae sleep the entire day,' ah say.

'Nae turkey?'

'Perhaps of the dinosaur variety, wi a light Heinz ketchup relish.'

Sam arrives back at the table. His hawns urr still wet. He slides the coaster aff the tap ae his pint and starts flippin and catchin it aff the table edge. The coaster rattles tae the flair.

'Sam,' Frances says. 'Is *Die Hard* a Christmas fulm?'

Sam taps the coaster against his foreheid and Mariah Carey comes on the speakers. Aw she wants fur Christmas is… a human being. That's quite the demand when ye hink aboot it. Maist folk urr happy wi a Furby.

'Honestly who cares,' Sam says. 'That Bruce Willis is a fud.'

Me, Sam and Frances dae the lates on Saturday's thigether maist weeks and ah'd huv went doolally withoot them. Ah'm openin up the shop the morra mornin though. A Christmas present fae the management.

'Aye, he disnae exactly huv the everyman quality anymair,' Frances says. 'So ye're sayin Bruce Willis turnin oot tae be a bit ae a fud later in life retroactively affects yer enjoyment ae *Die Hard*?'

Ah leave them tae thur conversation and start the short trip tae the bar. Bodies huddle in groups in every possible space. Ah feel roastin jist lookin at the folk in Christmas jumpers. Must be at least three other nights oot in here the night.

'Scuse me, sorry,' ah say, weavin through, somehow managin no tae pit ma hawn on anybody's lower backs. Men, take note. 'Sorry, scuse me.'

Tall guys everywhaur. Ah enjoy tall guys on Tinder— the idea ae them at least—but when ah'm in a packed pub, whit's the need fur them? Two per pub shid be the limit, lit school weans in a shop. Same goes fur gigs, sportin events, trains, basically any public space.

Ah reach the bar.

'Hullo,' ah say, tryin tae get the attention ae the staff.

'Merry Christmas,' a guy next tae me leans doon and shouts in ma ear.

'And tae you,' ah say back.

He's probably gonnae get inappropriate within a few

seconds, but ah iways like tae give the benefit ae the doot. It's Christmas efter aw.

'You on a night oot?' he asks.

'Naw, ah'm huvin a quiet night in.'

He nods multiple times and pretends he heard me. He stares soulfully intae ma chest. Lit ma chebs urr makin a really gid point.

'D'ye want a drink?' he asks.

Ah wonder who he's wi. A carer mibbe. Mair likely he's the weird guy fae his work who the others want rid ae. Mibbe ah'm the weird yin in Boots who Frances and Sam want rid ae.

You definitely are.

'Aye, that's why ah'm in the queue, mate.'

'Fuck sakes just tryin tae be friendly. Fuckin Grinch, man. Bitch.'

He turns his back on me and ah wander a bit further doon the bar. Ah cannae predict the future but here's whit ah'd guess: a couple mair pints in him and he'll come back fur another go. On second thoughts, two tall guys per pub wis bein too generous. It shid be two guys, total, regardless ae height. And even then ah hink ah'm bein too nice.

7

£4.70 lighter, ah return tae ma seat wi ma pint and ah only spill a wee amount dodgin revellers on the way. Lydia fae the optician's counter hus returned. She's somehow got a pint ae Venom—unmistakable in its greenness—vodka, Southern Comfort, a Blue WKD and orange juice. Why did naebdy tell me this place did Venoms?

'Awright there, Lydia,' ah say.

She disnae even acknowledge me. Ah wonder if ah could manage a couple ae Venoms and still get up fur work the morra. Ah wonder if ah could manage a couple ae Venoms and still huv the power ae speech by the end ae the night.

'Ma dear,' Sam says, pittin an arm aroond Lydia. 'Ye see anyone ye like the look ae in here?'

'Aye,' she says, eyes closed. 'You.'

She snuggles intae his neck. Aw the women love Sam. Aw the men love Sam. And Sam especially loves Sam, but that's understandable. He's wan ae they folk ye jist want tae be aroond.

'Ah posted a selfie the other day,' Lydia says. 'And somebdy commented sayin they wanted me tae step on thur neck? Why wid someone say suhin lit that? Ah'm no a violent person am ah?'

Lydia leans forward tae take a sip ae her Venom. Me, Sam and Frances aw share a look. Christmas nights oot urr great fur this. Seein folk in states ye niver get tae see them in. Lydia's aboot ten years aulder than us and acts lit folk oor age urr numpties and hers were the last great generation. She's jist on that cusp whaur she disnae quite get everyhin we talk aboot. Ah tried tae explain non-binary genders tae her once and she smiled and nodded but ah could tell fae the look in her eyes ah may as well huv been talkin aboot some *Babylon 5* sci-fi concept.

Lydia falls back on tae her seat then leans intae Sam's shooder.

'Ye sure ye don't like sex?' she asks him, nearly asleep. Sam bein asexual, that was another wan that took some explainin. 'Ye niver know until ye try.'

'Mibbe someday,' Sam says, clearly tired ae this line ae questionin. 'But ah don't want tae rush intae anyhin. Ah'll dip ma toe in wan ae these days.'

'Ah'll tell ye whaur ye can dip yer toe.'

Lydia laughs and jolts hersel back intae life. She shuffles over a chair, tae the next table, whaur the till ladies huv appeared and urr bitchin aboot Manager Michael. Ah used tae huv a hing fur Manager Michael, as it happens, but then he got divorced and suddenly he wisnae so interestin anymair. Assistant Manager Jennifer, however, hus become a lot mair intriguing in the last few months since she got engaged.

'Shots!' Sam says, slammin his hawn doon on the table then standin up. 'Come on ye borin fucks, it's the

Christmas night oot and naebdy's made an absolute erse ae themsels yet, which is, quite frankly, fuckin embarrassin. We're Boots, fur fuck sake, no Argos.'

Me and Frances sit in silence. Naebdy's in the mood fur shots. Well, ah *um* but ah'm supposed tae be the yin that suggests shots. Ah'm the yin that makes the night memorable. If ah don't huv that, whit wid they need me fur?

They *don't.*

Sam sits back doon.

'Borin fucks, man,' he says, crossin his arms.

'Sam,' Frances says. 'Why don't ye tell Daisy aboot the traffic warden?'

He looks disinterested and distracted.

'Eh, aye,' he says. 'A few weeks back, ah got a parkin ticket while ah wis at work and the warden drew a smiley face in the frost next tae the ticket tae wind me up. It's really no an excitin story, Frances.'

Frances shrugs.

'Ah thought it wis funny. Daisy, he wis proper ragin when it happened, it was so funny. Ah hink you were aff that day.'

Ah nod. Ah hate when a classic moment happens when ah'm no there. That's why ah dae ma best tae be aroond whenever possible.

'Right, well, how'd the funeral go, Daisy?' Sam says. 'Since naebdy else seems tae want tae mention it.'

'Ah wanted tae ask,' Frances says. 'But ah'm no gid at that kinda hing.'

She pits her hawn on my hawn. Her fing'rs urr so pale ae can jist aboot see through them tae the table. Thur's still a bit ae chipped paint under wan ae ma fing'rnails. Ah couldnae feel it til ah saw it and noo it's aw a can feel.

'Ah sort ae,' ah begin, 'missed it? Ah went tae the efter bit at the pub but Mum threw a fit.'

They baith nod and play wi thur respective beermats. Ah wisnae gonnae bring up the funeral. It's no gid Christmas night oot chat. Ah wisnae gonnae bring it up.

'Daisy, ah love ye and aw that,' Sam says. 'But ye're a right dick sometimes.'

Ah look tae Frances fur an argument against this. She starts rippin up her beermat intae tiny pieces and pingin them aff the table. She looks anywhaur apart fae me.

'Ah'll take it that ye agree then,' ah say tae her. 'Well, fur yer information, people deal wi grief in different ways. Look it up.'

'Aw aye,' Sam says. 'Cause you and yer stepda wur that close and ye're really broken up inside.'

'Ye know we wurnae close so why urr ye hasslin me aboot it?'

'Cause ae yer poor mum, ye clown. Fuck it, so ye wurnae close wi yer stepda, fine. But Daisy, did ye no hink yer mum could've been daein wi some support this last week? And at the very least her daughter could've gone tae the funeral?'

Fairytale of New York starts playin and soon thur's nae point tryin tae hear each other ower the top ae merry folk singin in voices somehow mair slurred than Shane McGowan's. It's a sad song that makes folk happy. Ah've iways thought thur wis suhin nice aboot that. Shame aboot the f word that everybody seems tae love singin so much though.

'So you and Steven didnae make pals before he...?' Frances asks.

Ah shake ma heid and make lines in the condensation on my pint glass wi ma fing'r. Ah draw two D's. Daisy Douglas. Daredevil. Ah sook ma fing'r.

'When Mum first started seein him,' ah say. 'We went tae dinner once or twice, the three ae us. Then he invited me tae a Partick Thistle game and ah said naw. Ah mean, sakes, whit dae ah want tae be watchin that mince fur?'

'And that wis it?'

'Sorry, Frances, but when a guy starts pumpin yer mum after yer da's left yeese, it's no really on the top ae yer list tae become best buddies wi him.'

Frances disnae seem impressed. But her hame life is so peachy, how wid she know anyhin aboot whit ah've been through? She got the lot. Mum, Dad, sister, even wan ae they long-haired dugs that disnae bark and fetches the paper fur ye. They can get thigether and spend days jist bein a happy family and naebdy argues or gets on each other's nerves or brings up that time Daisy fell doon the stairs and spewed hauf digested steak pie on the new wallpaper.

'It's no like youse wid've liked him either,' ah say tae the pair ae them. 'He was aw 'that's gay', 'that's bent', whenever he didnae like suhin. That's whit he wis like.'

'Let's leave it,' Sam says. 'It's done noo anyway.'

The Pogues reach the final stretch ae the song, whaur the violins play and get louder and swirl aroond yer nut and make ye glad tae be alive. Hauf the pub sways and tries no tae fall ower.

It's done noo anyway.

8

Aw the counter women huv left tae go tae Tingle whaur the drinks urr cheaper and the men urr younger. John and Tommy fae the backshift stand in the other part ae the bar, faces lit up fae the festive light ae the puggy.

Ah'm aboot three quarters cut when ah come back fae the loo and find Frances and Sam urnae at the table anymair. First chance they get, they slink oot and leave me on ma ain. They must still be in here somewhaur, surely.

Ma jaiket's still on ma seat at the table. Ah lift it and the vultures swoop. Three folk rush the table and a wife nearby steals a chair fur her pal.

Ah bump along the crowds at the bar, lookin fur somebdy tae stand wi until ah find Frances or Sam. Ah gravitate tae a group ae girls, sporty lookin and uniformly happy and giggly.

We're beltin oot that Christmas tune. Ye know the wan. The wan aboot…eh…huvin a gid time and bein happy and that. Ye know the wan.

'What's that you're drinking?' the tall brunette yin asks.

Ah shove it under her nose. So she can hoover up the

Venom smell. So she can huv her life changed.

'Try it,' ah tell her.

She hus a sip. Her face screws up. It's no fur everyone ah suppose. Ah look ower at Frances and Sam again. Ah'm no sure exactly how long ah've been standin wi these lassies.

'That's ma pals there,' ah tell the gurls.

Frances and Sam sit at a small table near the windae. Ah did try tae join briefly but left again cause thur's an *atmosphere*. Frances said ah should spend Christmas at ma mum's and ah telt her tae mind her ain business. Hence the *atmosphere*.

'Why aren't you sitting with them?' ma new pal asks me.

'Cause ah'm standin here wi you,' ah say. 'How dae aw you gurls know each other?'

'We play hockey at Glasgow,' she says.

'Aw lit ice skating?'

'Regular hockey.'

'Aw. Well, that's still awright.'

Ah hink aboot pullin this lassie. Somebdy's got tae dae suhin tae liven up this Christmas night oot. Ah hink aboot pullin her close. Ah hink aboot pullin her... on the mooth. *Ye'll niver believe who Daisy pulled on the night oot.* But then whit if she wanted me tae come back tae hers? Whit wid ah dae then?

'Whit position urr ye?' ah ask.

Frances and Sam appear by ma side. They look lit ma weans that want tae go hame. Jaikets on and buttoned. But Mum's still huvin wan ae her grown-up chats wi wan ae her grown-up pals.

'That's us headin,' Sam says.

Ah kiss him on the foreheid. His makeup's mair obvious when he's sweaty lit noo. Ah let him borrow ma foundation sometimes and in return he gets me ma lunch fae Greggs when we're on shift thigether.

'Let me know ye get in awright,' ah tell him. 'And get an Uber. Don't be waitin in that taxi rank at Central, it'll be chaos the night.'

Sam turns and makes eye contact wi Frances. They've clearly discussed whit they wur gonnae say tae me afore they pit thur jaikets on. They've planned it aw oot.

'Ah'm meetin ma pal at Firewater,' Sam says. 'But Frances...'

'Ah'm goin doon tae the taxi rank,' she says. 'Come and chum me doon?'

She's wantin her bed and so that's ma night done then. That's no fair. Ah'm no huvin that. Cannae jist finish Christmas lit that.

'Ah'm stayin,' ah say. 'Ah'm awright. Ah'm gonnae stay.'

Sam sighs lit he knew whit wis comin. Frances stares at the flair.

'Please, Daisy,' Frances says. 'Everybody's away. Ah don't want tae go on ma ain.'

'And ah don't want tae stay oot on my ain either,' ah say. 'So why don't ye jist stay oot wi me?'

She twists her fing'r in a buttonhole in her jaiket so tight the blood pulses at the tip.

'Jist be safe,' she says. 'Let me know ye're awright later.'

Sam pits his arm aroond her and they leave. The front door opens. Freezin air and the smell ae smoke hover at the entrance lit an unwelcome guest afore disappearin.

'Bye then!' ah say. 'Ah'll see yeese the morra ah suppose. Ah'm openin up by the way. Ye're welcome.'

Folk urr lookin at me again. A drunk lassie makin a scene on the Christmas night oot, there's wan fur the bingo cairds. Ah peel a length ae tinsel fae under the bar and wrap it roond ma shooders.

'Hink they can spoil ma night,' ah say tae naebdy.

9

The hockey lassies. They've tightened thur circle. Probably saw the drama wi Frances and Sam. Probably hink ah'm trouble. Ah squeeze back inside.

'Glasgow Hockey team!' ah announce 'We're daein bombs. Ah'm buyin us six Jägers and six Skittle bombs.'

'Actually,' ma pal, the tall yin says. 'We're calling it a night.'

'Noooo,' ah say. 'Whit's yer name?'

'Julia,' she says.

'Listen, Jules. You girls huv got tae stay oot. This is oor Christmas night oot mind. Efter this, that's it. Whit's thur tae look forward tae efter this? This is whit wis keepin us aw goin. We'll aw need tae go back tae the real world efter tonight.'

Another hockey lassie steps in front ae me. She's a redhead. Dyed. Bet she wishes she hud the real hing lit me.

'We've got a game tomorrow,' this lassie says. 'And we don't know you. Can you leave us alone, please?'

East 17's playin noo. Thur tellin me tae stay, when every other yin in here wants me tae go. Well, ah know who ah trust. Ah trust East 17. When huv they ever let me doon afore?

'Stay,' ah whisper.

The hockey gurls quickly finish thur drinks and

gather thur giant bags. A few whack me as they struggle wi them through the pub and oot the door.

'Good luck the morra, girls,' ah say. 'Jules, you're the star player, MVP. Can ah get yer Snapchat?'

'Fuck off,' she says.

She extends her arm and says bye wi her middle fing'r. Me and the rest ae the pub stare. They suppress laughter.

'Good yin, Jules,' ah say as the door shuts. 'Very clever.'

Ma jaiket's still at the last table Frances and Sam wur sat at. They wur meant tae keep an eye on it fur me. Ah point tae it, under the erse ae some guy. He lifts a cheek and ah slide it oot. It's warm tae the touch.

'Merry Christmas,' ah say tae the table.

'Jist you get home safe, hen,' the man who wis sittin on ma jaiket says.

Thur's mair room in Jacksons noo. Folk huv left fur hame or cheaper pubs or the clubs. Ah'm due another alcohol. Ah find masel at the bar.

'Barkeep,' ah proclaim. 'Barkeep.'

Ma phone buzzes. Message fae Frances. Ah squint at the preview. *daisy can u pls meet me at...*

'Hullo,' says the barman.

He's handsome. He throws a towel ower his shooder which is likely covered in millions ae wee germs and it ruins the sexy look he's goin fur.

'I shall have a Manhattan,' ah say, wi a New York accent.

'Naw, ye'll no,' he says.

'Aye ah will. Ah don't hink you know how pubs work, mate. Ah say a drink and you pour it fur me. Is this yer first shift?'

'Ye've hud too much awready. Time tae go hame.'

Ah look aroond the pub again. Everyone's avoidin lookin at me. But ah bet they'll look as soon as ma back's turnt. Everyone's yer pal in Glasgow until thur no.

'Ah'd like tae speak tae the manager,' ah tell the boy.

'Ah *um* the manager.'

'Fuck off, you're fourteen.'

He makes tae come roond the bar and get me. Ah hink aboot standin ma groond tae see whit happens. But then ah shite it and step back.

'Right, fine,' ah say. 'Let me finish ma drink.'

The pub jist aboot still hus an atmosphere. Folk urr still huvin a gid time. Glittery Christmas trees sit here and there. Fairy lights urr strung in not-so-easy tae reach places. It's Christmas so folk urr oot. Even the yins that don't usually go oot urr oot. And folk urr hinkin thoughts lit *ah iways thought that John guy wis a dick but he's actually awright.* Christmas nights oot. They bring folk thigether. But then Monday comes and everyone falls apart again.

'Ah wid jist like tae announce,' ah announce loudly tae the pub. 'That ah wish yeese aw a very merry Christmas! Tae wan and aw! And tae every prick a gid night! Haud yer loved ones close, folks. Cause soon they'll be gone. And December'll be January afore ye know it.'

Ah toast ma drink, steppin forward on tae a slippery bit ae flair. Ma leg scoots oot ae control. Ma back hits the deck. The Venom splashes aw ower ma dress. Sticky greenness creeps intae the folds ae ma neck. The ceilin above me spins.

10

The barman helps me tae ma feet. He lets go as soon as ah'm up so he disnae get sticky himsel. Ah mumble a thanks and make ma way tae the door.

'Thank god fur that,' somebdy says.

Laughter erupts in the pub. It's gid when ye see somebdy gettin whit they deserve, eh? *Youse shid've seen this lassie in Jacksons the other night. Cunted it. She really deserved it. We were aw so relieved when she left.*

Ah step ootside.

'You gonnae be awright gettin hame?' says the barman.

He peeks fae behind the door. The booze on ma skin stings as the cauld night air sweeps across me. Ah pull up ma bra and wipe ma face dry wi ma sleeve.

'Hame,' ah say. 'Ah don't huv wan these days.'

'Whit?'

'Ah'll be fine.'

The door closes ower. It's so cauld oot here that the smokers look lit thur giein serious thoughts tae quittin awthigether.

Further doon, across the road, folk in fancy claithes gather ootside the Hilton hotel. They probably work fur wan ae they big banks. Probably huv mair money than sense. Ma mum used tae hawn me a fifty pence fur ma pocket money then go *that's you got mair money than sense noo.* She's no done that in a long time.

Ah check ma phone. 11.25pm. Mair messages fae Frances appear. *There's polis roaming about but I can't tell what...* The preview runs oot.

Twenty-five past eleven. Ah'm sure ah can still make the last subway if ah get on at Cowcaddens.

Ah'm steamin though. Ye iways hear aboot drunk folk fallin on tae the tracks. That could end up bein me. God, whit if that happened. Ah tie up ma sticky hair and start joggin towards the station.

Ah pass a barber's and a phone shop next tae Jacksons. Ma wobbly legs run in and oot ae the bike lane and doon a sharp hill. Ma shoes batter aff the groond and echo fur miles aroond. Ah'm nearly at the bottom when ah clip ma ain heel and fly forward.

'Ya fucker.'

Fortunately, ma face breaks ma fall. Ah scrape along the groond, ma knees and ma palms in agony. Ma vision's blurred and ah shake ma heid til ah only see wan ae everyhin again.

It looks lit thur's somebdy in the shadows. They hide insteid ae helpin me. Ah scrape maself aff the groond and wipe the blood fae ma lips. Ah spit and brush dirt fae ma dress. Scraped hawns and knees lit a toddler.

Haudin ma side, ah go intae the underpass. The lights urr blindin. Graffiti flashes past me as ah stumble through the artificial light. At the bottom, a strip ae blue light leads the way.

The shutters urnae doon on the Cowcaddens station yet. The wee auld man in the booth hus his back turnt. The display shows *INNER APPROACHING* and ah hear the rumble ae the train far below.

Ah've nae time fur a ticket so ah jump the barrier. At least, ah try tae jump the barrier, but ma leg gets caught. Ah chuck ma bag towards the escalator then launch aw ma weight ower the side. Ah land sticky side up, a bit winded.

'Ho!' a voice comes. 'Get back here!'

'Ah'll pay at Hillhead!' ah shout and run fur the escalator.

Ah don't look back tae see if he's followin me. Ah scurry doon the movin steps and the platform comes intae view, a few flights ae stairs under the real world.

Wi a big jump, ah land on the platform and rush fur the nearest carriage door. It's too late, ah know that awready. The door closes in ma face. Ah bang ma open palms against the plexiglass and the folk inside the subway car avoid lookin at me. The driver shrugs and ducks back intae his wee control room.

The roar and whirl ae the train leavin the station blows me aff balance. Ah let masel sit doon cross-legged on the thin strip ae platform separatin the inner and outer lines. A faint, far aff rumble signals the last inner circle train turnin towards St George's Cross. The display above ma heid updates. *NO FURTHER TRAINS.*

A jangle ae keys means the arrival ae the subway man. The Subway Man wid be a rubbish superhero. Whit wid he even dae? Make ye a sandwich then take ye hame? Actually, that wid be amazin.

Ah look up at him. His orange high-vis vest is pulled tight ower his shirt and tie.

'Hullo,' ah say.

'Och jeezo, hen,' he says. 'Yer face is split open.'

He takes a packet ae hankies fae his pocket and hawns yin tae me. Ah dab it roond ma mooth. Ah stuff it deep inside ma jaiket pocket when ah'm done.

'Will ah call ye a taxi?' he asks.

'Ah'm waitin fur the subway.'

'That wis the last yin.'

'Bound tae be another yin along soon.'

'Ah can assure ye there willnae.'

'Ah'll take ma chances.'

He rolls his eyes lit ah'm bein unreasonable.

'Listen, lassie,' he says. 'Either ah'll phone a taxi, an ambulance or the polis. It's up tae you. Ah'll be waitin at the top ae the stairs. Ah'll gie ye five minutes tae pit yersel back thigether. Ah've got a warm bed and a less warm dinner tae get hame tae.'

He scratches his moustache then clomps back up the stairs.

Noo ah'm aw alone in the echoey subway. The

Cowcaddens station hus iways givin me the heebie-jeebies. It seems deeper intae the Earth than every other station. Mair cut aff fae the world above.

In front ae me, the tracks urr thick and dirty and rusty. Ah wonder if thur still hot. Thur's only wan way tae find oot ah suppose. Seems a bit pointless tae check noo.

As ah'm readin a poster fur some fancy opera at the Concert Hall, the lights go oot above me. *Dun.* Wan set ae lights oot. *Dun.* And another. Soon ah'm sat in near darkness, the light fae the top ae the stairs no quite able tae creep intae the far corners doon here.

'Hullooo,' ah shout.

Ma voice echoes aff the curved walls lit a penny swirlin doon a charity box.

At the end ae the platform is a door. *Clang.* The door opens and somebdy steps oot. Another clang as the door shuts and the figure starts comin towards me.

'Hullo?' ah say, makin a valiant attempt tae stand up. 'Ah wis jist aboot tae go, ah swear.'

The figure, still too dark fur me tae see properly, starts speakin.

'Ye'll like this yin,' it says, still a shadow haufway doon the platform. 'Whit dae donkeys at Blackpool beach get fur thur lunch?'

11

As the figure comes within spittin distance, ah can jist aboot make oot thur features. An aulder wife, white hair streamin aw the way tae her belt buckle.

'Whit?' ah ask.

'Ah said,' she repeats. 'Whit dae the donkeys at Blackpool beach get fur thur lunch?'

The question ricochets against the walls and chases ma shout doon the dark tunnels.

'Ah dunno.'

She smiles.

'A hauf oor, same as everybody else.'

Noo the platform is alive wi the sound ae this wife's laughter. Her body shakes fae the exertion and light fae naewhaur seems tae reflect aff her vest. Her heid tilts back and her hawns slide intae her pockets. She seems tae exist oot ae this time, oot ae this place. This isnae how ye act at the end ae yer shift on a Friday night on a dark subway platform.

'Dae ye get it?' she says. 'It's no ma best yin, mind ye, but it's better than nuhin. Better than sittin here in silence lit you wur daein, nae offence intended. Ye wur sittin here in the dark on yer tod, in case ye didnae notice.'

Ah gie her a chuckle. 'Aye, it's no bad.'

Fae inside her fleece, she produces a wee electric

lamp. She turns it on and places it on the groond, bathin us in a sharp white light. She shoots a hawn oot at me.

'Ah'm Yotta,' she says. 'It's a pleasure tae meet me, ah'm sure.'

'Yotta?'

'That's correct. Y-o-t-t-a. It's a unique name and ye'll remember it, won't ye? If ah'd telt ye ma name wis Alison, ye'd huv awready furgotten it by noo. Ah mean, Alison's an awright name but, let's be honest, parents that name thur child Alison didnae get past the first chapter in the baby name book, d'ye get whit ah'm sayin? Yotta means… it means a giant number.'

'Cool. Ah'm Daisy.'

'Nice tae meet ye, Daisy. Gid hing ye're no called Alison or we'd huv oorsels an awkward wee moment here.'

We shake. Thur's suhin interestin when ah touch her. Some feelin ah cannae pit ma fing'r on. Suhin ah've no felt afore. Lit when ye meet a celebrity and they huv an aura that normal folk don't.

'Yer colleague wisnae pleased wi me,' ah say.

'Colleague?'

'The guy who went up the stairs.'

She shrugs.

'Ah'm new here. Usually ye'd find me at HQ. This is, eh, a different kind ae shift fae whit ah'm used tae.'

'Right. Well, ah better clear aff afore yeese shut up fur the night.'

Yotta steps tae the edge ae the platform, her black steel-capped boots restin on the raised bumps fur visually impaired folk. She stares doon intae the tunnel, intae the darkness.

'Ye'd be as well stickin aroond, Daisy,' she says. 'There'll be another yin along in a minute. Thur's iways another train tae catch doon here. Lit clockwork. That's whit they call it, eh? *The Clockwork Orange*. Ah dunno who "they" urr but apparently some folk call it that.'

She turns suddenly.

'Whit happened tae yer face?'

Ah pit ma hawn tae ma mooth. Ma top lip is swollen. Ah check ma fing'rs but the blood's awready dried. A flake ae blood seems tae be caught under ma nail but ah realise it's the chipped paint fae earlier.

'Ah fell on ma face,' ah say.

Yotta narrows her mooth and sucks in air, makin a whistlin sound.

'Fur future reference,' she tells me. 'Ah find breakin yer fall wi yer hawns works better. But each tae thur own. Gottae be careful these days though. Dangerous world we live in. Ah heard some lassie got knocked doon by a car at that taxi rank at Central Station. It's lit a zoo at this time ae night. Gottae be careful indeed. But thur's iways order in this world, even when it disnae seem like it.'

A laugh escapes ma mooth and ah tilt ma neck tae look up at Yotta.

'Order?' ah say. 'Surely ye don't believe that. Thur's nae order tae any ae this. The world's chaos—jist random hings happenin aw the time.'

'Mibbe ye've no been lookin hard enough.'

'Ah've looked plenty. As long as people urr inconsistent, the world's gonnae be inconsistent.'

'Agree tae disagree. But let me ask ye an important question, Daisy.'

She crouches doon next tae me.

'Huv ye been a gid girl this year?'

'Who urr you meant tae be lit, Santa?'

'No quite, but ah ken him.'

She smiles and her wrinkles glow. Aw ae her glows really. She seems brighter than the lamp. Ah cannae take ma eyes aff her.

'You know Santa, dae ye?' ah ask her.

'Oor paths huv crossed. Though fur a man that only works wan day a year, he's a hard fella tae get a haud ae. And he's no as jolly as these fulms make him oot tae be. Jist ask Mrs Claus.'

'Mrs Claus?'

'Ye're right, it's no Mrs Claus anymair, is it? She went back tae her maiden name McCormick efter they split.'

Ah wonder whit this wife's daein workin fur the subway. They've got her on the late shift on a Friday night in Cowcaddens station when she shid be daein children's parties.

Yotta pulls a bag ae Maltesers fae her pocket. She scoops a hawnful intae her gub, then offers me the packet.

'Naw, ah'm awright,' ah say. 'If ah eat anyhin right noo ah'm likely tae whitey.'

'Your loss,' she jist aboot says through the chocolate smeared ower her teeth. 'Ah fuckin love these hings. Youse don't appreciate bein able tae buy these any time ye want.'

The darkness is startin tae make me uneasy and ah decide it's time tae go. Ah reach intae ma bag and search fur ma phone. Ah'll need tae try and catch up wi Frances, hopefully jump in her taxi. Thur's nae sign ae ma phone though. Ah must've lost it somewhaur between the pub and here.

'Ah better be aff,' ah say. 'Get masel hame.'

The Maltesers urr finished. Yotta delicately folds the packet and places it in her pocket. Her tongue swirls roond her mooth lookin fur remnants.

'Ye'll no need a taxi,' she says. 'Ah telt ye. Thur's a carriage due any minute noo.'

Ah gesture tae the screen, whaur it remains the same. *NO FUTHER TRAINS.*

'Look,' ah say. 'That's them done fur the night.'

'Listen, lassie, who works here? Me or you?'

She points tae the screen. In the few seconds ah took ma eyes aff it, it's changed. Noo it reads, in flashin letters:

OUTER APPROACHING.

Then, a faraway rumble. A faraway rumble that's gettin closer fast. It's comin fae the outer line.

'How did ye dae that?' ah ask her.

'Ah'm no quite sure,' she says, inspectin her hawns. 'Ah'm new at this. Worked though, didn't it? Right, quick. How many days dae ye reckon?'

Ah raise an eyebrow.

'Fourteen days?' Yotta goes on. 'That's two weeks, gid round number. But is it enough, ah wonder? Fifteen days might work, wan day fur each stop.'

'Fifteen days?' ah ask. 'Whit dae ye mean?'

'Gid shout,' she says. 'Ah'm furgettin aboot the secret stop under the river. Pretend ye didnae hear that. So… sixteen, then. Sixteen days. That'll be plenty ae time. Aye, sixteen days shid dae nicely.'

Yotta stares straight aheid. Her jaw clenches lit she's concentratin. Ah huv an urge tae reach oot and touch her. Tae make sure she's still real and ah'm really huvin a conversation wi her. Tae check ah didnae pass oot when ah decked it on ma way tae the subway.

'Yotta, am ah meant tae understand whit ye're on aboot?'

She turns her heid and looks at me again. The colour ae her eyes seems tae be swirlin and changin lit a kaleidoscope. Ah'm hypnotised by it. Mibbe ah'm mair steamin than ah thought.

'Sorry if ah've been a bit mysterious,' she says. 'But it'll aw become clear soon enough. The question is… urr ye ready, Daisy?'

Thur's nae time tae respond as the sound ae the subway gets too loud tae hear anyhin ower. Rumblin and crashin roond the corner, it comes. The car seems tae be travellin at a speed faster than any other ah've seen afore. It screeches as it scrapes along the tunnel, makin sparks which fizz lit fireworks. Ah jump back and land on ma erse.

Yotta's voice broadcasts ower the tannoy system. Ah realise she's disappeared fae the platform.

'We wid advise aw passengers tae board the outer line. This will be oor last service ae the evening. And roond and roond and roond we go.'

The three subway carriages huv come tae a halt and sit wi thur doors open. Thur's no a soul on board as far as ah can see. Ah wait fur the driver tae poke thur heid oot tae check who's gettin on. Naebdy appears.

'Hullo?' ah say.

Ah walk toward the front carriage but suhin beeps and the doors shudder lit thur gettin ready tae close. Ah hop through the nearest door. It snaps behind me and the subway begins movin again.

Ah collapse on the orange fuzzy seats. The broon flair is speckled wi orange and yella bits. A discarded hauf-drunk Irn-Bru bottle sloshes its way back and forth on the seats across fae me.

The outer line goes in the opposite direction fae ma flat, so ah'm twelve stops away fae Hillhead insteid ae the three it wid've been on the inner. The train rumbles on and gains speed.

We don't slow doon as we approach Buchanan Street. We don't stop at aw, shootin right through it. The station passes in a blur. Thur's nae chance fur me tae get oot and check on the driver. Mibbe thur asleep at the wheel. Mibbe thur's nae driver at aw and these carriages urr oot ae control. Ah keep ma fing'rs crossed the doors open at St Enoch. Or at the very latest, West Street.

The lights in the carriage seem tae dim. The rumble ae the train starts tae soothe me. Ah rest ma eyes fur a minute. Ma lip throbs lit ma heartbeat is in ma mooth. Ah'll jist let ma eyes close fur a second. Ah'll open them back up when we get near Kelvinhall. Whit wis that Yotta wife aw aboot? She wis talkin some amount ae pish. Ah'll jist let ma eyes close fur a minute. Ah'll open them when we get tae Ibrox, jist tae be safe.

Part Two

Point of Origin

12

'Urr ye gettin up, hen? There we urr. Time tae wake up.'

Ma eyelids feel glued thigether. Ah unstick them then unfurl them. A red-faced man in a bunnet stands ower me. Thur's mair folk watchin on fae the other side ae the carriage.

'That's us at Buchanan Street,' he says. 'Thought it might be yer stop. Ye've been asleep since ah got on at Govan. And ye drooled doon yersel but ah widnae be embarrassed aboot that, ah jist wanted tae make ye aware.'

Ah sweep ma legs aff the seat and peel a hair fae ma cracked lips. Ma mooth feels full ae moths. Ma heid thumps so hard ah hink ma eyes might pop oot ma skull.

'Ah wis goin tae Hillhead,' ah say, and ma voice sounds lit someone else's. Ah dig ma fing'rs intae ma ears tae try and get them tae pop. 'Ah wis jist closin ma eyes fur a minute.'

'Hillhead? Ye'll be quicker gettin aff and gettin on the inner circle, hen.'

Ah say thanks and stumble on tae the platform. The driver makes brief eye contact wi me and looks glad ah'm finally gettin aff.

Thur's naewhere tae sit, jist they sloped benches tae stop folk huvin a lie doon. Dozens ae folk pile on tae the train behind me. This is the maist realistic dream ah've hud in quite some time.

The stairs urr a challenge and ah'm gaspin and oot ae puff by the time ah reach the top. At the far end ae the station, daylight spills doon ower the escalators. Ah sneak through the barriers behind a lassie in a business suit who gies me a dirty look.

Ah go tae the ticket booth and rest ma arms on the counter.

'Excuse me,' ah say. 'Whit time is it?'

The wife behind the glass checks her watch.

'Quarter tae ten,' she says.

'Aw ye're jokin.'

'Fraid no, doll.'

Ma legs wobble and ah catch masel afore ah fall flat on ma face again. Ah gie the wife a thumbs up and let the next person in the queue take ma place.

The sweat's oozin oot ae pores ah didnae even know ah hud. Ah'm gonnae get ma erse handed tae me when ah show up at work.

Ah run up the escalator and the sensation ae spew gatherin in ma belly makes me slow doon. The daylight soaks intae ma skin as ah reach the above groond world once again. It burns ma eyes. This must be how Angel and Spike felt when they got caught in the daylight.

Ah check ma pocket and it's wan wee blessin that ah've still got the key tae open the shop. Unless any ae the managers came in early, the customers and staff will huv been waitin ootside fur ages. Chances ae Daisy gettin the sack: highly likely.

The guy sellin the Big Issue is oot awready, in his prime spot ootside Sainsbury's.

'Don't be shy, give it a try!' he shouts.

Ah smile and he smiles back.

Sauchiehall Street stretches oot afore me. It's niver looked longer.

Ah've nae time fur anyhin. Nae time fur breakfast. Nae time tae splash water on ma face in the Maccy D's bathroom. Nae time tae explain how ah slept fur ten oors straight on the subway withoot wakin up or gettin flung aff at some point.

Boots comes intae sight. It's open. Customers are goin in and oot wi thur last minute Christmas presents. *Thank actual fuck fur that.*

In some form ae miracle, a Christmas miracle no less, somebdy wi keys must've got in afore me. Ah jist hope it wisnae this somebdy's day aff and they got phoned in cause that lassie Daisy didnae show up.

Ah push wan ae the heavy front doors open. If ah can jist slink in withoot bein noticed and get tae ma locker, ah can get a spray ae deodorant, skoosh ae perfume and pit ma emergency work claithes on afore anyone sees ah'm in last night's dress. It's niver a bad idea tae keep a spare pair ae Converse at yer work.

'*Imogen to the Manager's Office, please,*' comes Assistant Manager Jennifer's voice on the tannoy.

Imogen workin on a Saturday? She'll no be happy.

Ah navigate through the quieter aisles. It shid be wan ae the busiest days ae the year but folk urnae oot in force lit ah wis expectin. Mibbe folk urr finally seein Christmas isnae worth the hassle every year. Oor Christmas gift aisle still looks full tae the brim.

The Bruce Springsteen version ae *Santa Claus is Comin To Town* plays. Ah spy Manager Michael up the back left by the perfume cabinets, playin air guitar. It must've been him that opened up the place. He'll be oot fur blood.

Ah realise ah'm approachin Frances, who's pittin oot a box ae the novelty Christmas soaps.

'Ye survived then,' ah say. 'And ye look fresher than me fur once.'

She turns her heid jist slightly and looks at me fae the corner ae her eye. Then she continues pricin the soaps. The printer *whirrs* as it produces a ticket.

'Aw, don't be lit that,' ah say. 'Sorry ah wis a bit ae a bomb scare last night. It wis the Christmas night oot, did ye expect anyhin else? Honestly, wait til ye hear whit happened.'

Frances stands up and wipes her hawns doon the back ae her troosers tae get the dust aff. She sticks the scanner and printer under her arm. Her eyes inspect the shelves she's filled.

'Sorry?' she says. 'Do I know you?'

13

'Whit dae ye mean 'dae ye know me'?' ah say.

'Rough night, was it?' Frances says, starin at the shelves. 'That's me on my break now; you have a nice day.'

And lit that, she's chargin aff towards the staff room.

'Whit urr ye usin yer customer voice on me fur?' ah say as ah follow her. 'Sorry ah didnae get back tae ye. Ah must've lost ma phone at some point. And look, ye obviously survived the big, scary taxi rank so whit urr ye so upset fur?'

She disnae break stride as she disappears through the doors that lead tae the canteen and Manager Michael's office and the loos. We get a lot ae parents askin tae let thur kids pee in the staff toilets since we don't huv public yins. We're no supposed tae say yes anymair cause hauf ae them piss up the wall but how can ye say naw tae wee kiddies that urr ready tae pish themsels?

Ah go through the doors. Frances is at the bottom ae the corridor, gettin her fags fae her locker. It's a disgustin habit. Ah only ever huv a couple on nights oot, ma birthday, and mibbe at Hogmanay. Christmas Day as well but that's obvious.

'Ho!' ah shout at Frances. 'Whit's yer face trippin ye fur?'

It's funny the look she gies me. Lit she's full-on terrified ae me. Did ah really dae suhin that bad last night? Ah suppose ah cannae mind *everyhin.*

You were **horrible to** **her***. Did you bring up her cat* **that died***? You probably made her cry. You* **ruined** *the whole night and everybody's talking about it.*

'Sorry, miss,' Frances says, closin ower her locker. 'You're not allowed to be back here.'

She charges towards me, pointin back oot tae the shop flair.

'If you've a question, I can speak to out there,' she says, openin the door.

Ah'm so confused ah jist stand there, blankly starin at her. We're at a standoff. She checks her watch. She's losin time aff her break.

'This patter is actually honkin,' ah tell her. 'Did Sam come up wi this?'

'Miss, I don't understand what you mean, but please, you can't be back here. If my manager sees—'

Jist then, the manager's office door opens. Manager Michael steps oot, cradlin his clipboard. Ah fuckin hate that clipboard. He hus last year's sales figures on it, and the year afore that. The only hing he cares aboot is us beatin last year's sales and he expects aw ae us part-timers, on minimum wage, tae care as much as he does.

'Everything alright here, Frances?' he says, daein his fake smile, as if thur's a customer in earshot.

'Just explaining to this lady,' Frances replies. 'That I

can help her out on the shop floor.'

Ah fling ma hawns up in the air.

'Right,' ah say. 'Fine. Gid yin. Ye're pretendin ye don't know me, lit ah've been sacked. That's it, eh? Look, sorry ah didnae open up this mornin. Ah've got a reasonable excuse, if anyone wants tae know. Ah mean, look at me. Ma face is split open fur wan hing, does that no hint that ah hud an eventful evenin?'

Michael nods a few times. Fae further doon in the warehouse, ah hear the crackly radio blastin. Heart FM is the only station we can aw agree on.

'Do you know this girl, Frances?'

'Aw, for fuck's sake!' ah shout. 'Jist let me past, ah'll work til close the night if ye want. Ah jist need oot ae these claithes.'

Ah walk past the pair ae them and go tae ma locker. Ma key disnae work. Ah jam it in but it willnae turn nae matter how hard ah try.

'Well, this is an interestin turn ae events,' ah say, lookin back up the corridor, whaur the two ae them urr whisperin, thick as thieves. 'Ah cannae believe ye've actually changed the lock on ma shitey locker. How did ye even manage that?'

John the security guard joins the party noo, comin in fae the shop flair. He's lit wan ae they polis ye see in American fulms that's two weeks away fae retirement. Wan time ah guy stole an electric razor and John chased him oot the door but only fur aboot ten seconds. He says that once they get past Waterstones, they've earned it.

'Excuse me, miss,' Michael says tae me. 'If you just go with John here. He'll make sure you find what you're after.'

Ah smile. Ah smile cause it's the only hing ah can hink tae dae. The only hing that'll stop me fae goin aff ma nut. Ma lips urr quiverin.

'This is too far,' ah tell them. 'If ye're gonnae sack me, then grow a pair Michael and jist fuckin dae it. Gettin John tae walk me oot and embarrass me in front ae everybody? Whit a sad wee man you urr, Michael.'

The three ae them share a look, lit thur decidin who's gonnae huv tae deal wi me. This is madness. How is this happenin?

Because you *deserve this*.

'Whit's it gonnae be then?' ah say.

John walks towards me. His wee Rangers tie pin that his wife got him fur his birthday gleams as he approaches. He's a big fella right enough.

'Please, miss,' he says tae me. 'We can speak aboot it ootside.'

Thur's suhin different aboot the way John's lookin at me tae. Lit he knows whit's up and he's gonnae be sound tae me once we get oot ae earshot ae the other two. Frances and Michael urr bein dicks, but at least John'll pit me right.

As ah walk by Frances and Michael, ah flick them the

V's so violently it feels lit ma bones might shoot right up through ma fing'rs. They baith stare at their feet.

'Aw, and Michael,' ah say. 'Yer ex-wife telt me ye've got a tiny willy, so.'

Ye may as well go doon in a blaze ae glory, is ma opinion.

'Okay then,' he laughs. 'Very good. Bye bye now. You've never met Sasha, I'm fairly sure.'

John walks me through the shop. Debbie and Rachel urr on the tills but thur too far away tae notice me and thur servin folk anyway. Janette's fillin up the Chanel cabinet and disnae turn roond.

Ah sense Michael followin behind us. He's keepin his distance but he's venturin oot ae his office enough tae make sure ah'm gone. The world's gone full-on mad.

Then, as ah'm nearly at the front doors, ah see Sam comin in. He's got his Greggs bag in wan hand and he's haufway through munchin a Steak Bake. He iways gets me a French Fancy if wur on thigether.

'Sam!' ah shout. 'Dae ye know thur sackin me? Did you huv anyhin tae dae wi this?'

He blinks, then pits his hawn tae his mooth. He finishes aff his moothful ae pastry.

'Excuse me?' he says. 'Sorry, I don't recognise you? Have I served you before, maybe?'

'Oh my god whit is it wi everybody usin thur posh voice on me the day?'

Sam looks ower ma shooder at John. Giein him the look. The *who's this dafty* look.

'Ah cannae fuckin believe you,' ah say. 'Youse urr meant tae be on ma side. Ah thought we wur a team, Daisy and Sam and Frances against the world. Plottin oot oor dreams fur when we finish uni. Comin up wi ways tae kill the customers that come in two minutes afore close.'

Sam seems scared ae me. He crunches up his wrapper and pits it in his bag. Thur's still suhin heavy in the bag. An Empire biscuit wid be ma guess.

'Oh, are you here for Daisy?' he says, frownin. 'You look quite like her actually. Are you related?'

Ah pit ma heid in ma hawns. This is the actin performance ae a lifetime fae Sam. Ah thought he wis so pure.

'This is proper startin tae freak me oot noo,' ah say. 'Ah swear ah'm gonnae scream if yeese keep—'

Ah see ma reflection in the mirror by the cosmetics stand and meet ma ain eye. But it's no ma eye. It's some other gurl's eye. Some other lassie who looks a lot like me but isnae me. She's giein me this funny kind ae look. The same kind ae look that ah'm giein her right back.

'Miss?' John says tae me.

His voice sounds miles away. Ah walk towards the mirror.

Ah get closer tae the stranger. This stranger who hus

aw the same movements as me. Ah hink mibbe ah'm still drunk. Or asleep on the subway still.

The mirror shows me gettin closer. It shows me the Venom stain doon the front ae ma dress. It shows me ma pure red eyes. But it disnae show me, me.

It's lit me but everyhin's slightly different. This isnae the same dress as last night. The tartan pattern is a wee bit different. It's hardly noticeable but it's definitely different. And ma shoes. They huv gold buckle bits. They wur rose gold last night. Ah swear thur different.

Ma hair is jist aboot the same, but mibbe a wee touch lighter?

Ma eyes are blue still, but they don't huv the same broon bit aroond the iris anymair.

Ma nose is a bit less upturned and it's no even pierced anymair.

Ma earlobes urr fuckin detached?! Ah run ma fing'r along them. This is too fuckin weird noo.

What the actual fu

14

ck

Ah bolt. Past John and his staunch tie pin. Past Sam and his lukewarm Empire biscuit. Past the customers comin in, the same customers that in a few seconds will walk right by the baskets and then ask somebdy whaur the baskets urr. The cauld is bitter and ah'm powerin up Sauchiehall Street again. Ah pull ma jaiket tight.

Ma hawns look the same. Ah stretch them oot in front ae me. They look the same but mibbe thur no. How can a huv a new face but the same hawns? Ah press ma hawns tae ma cheeks. Freezin.

A queasy feelin starts in ma belly. Soon its up intae ma mooth. The soft bit below ma tongue tingles. Ah scurry tae the nearest bin but cannae angle ma heid properly and ah'm sick aw doon the side. No that thur's much tae come up. The retchin makes ma organs feel lit thur gettin squeezed through ma ribs lit Play-Doh.

Ah walk away fae the pile as a few pigeons waddle ower tae inquire. A couple ae doors up is Costa. Ah work up the courage tae peek at ma reflection in the windae. It's the strange gurl again.

She sees me and ah see her.

Ah wave ma left hawn. The strange gurl waves hers. Ah wave ma right hawn. The strange gurl waves hers.

Ah lean in close tae the glass, tae inspect ma new face.

Then ah realise thur's a young couple huvin coffee on the other side ae the windae. Ah smile, wipe away the spew fae corner ae ma mooth, then continue up the street.

By the time ah reach Tesco, ah'm tired and sair and jist want ma ain bed… and ma ain face. A nap will sort me oot. Ye can fix anyhin wi a good nap.

Ah walk back tae the flat. Gettin the subway again seems lit askin fur trouble. The walk tae Hillhead goes in fast, since ah'm checkin ma reflection in every car and shop windae on the way tae see if ma face is back tae normal yet.

Ah consider poppin intae Dram fur a quick hair ae the dug but when ah check ma purse, ma bank caird is gone. Along wi the rest of my cairds. Ah've nae ID, nae cairds. Nuhin wi ma name on it. And ma purse hus wee floo'rs insteid ae wee butterflies noo. *Jist focus on gettin hame, Daisy. Everyhin will seem better efter the nap.*

Ah turn ontae Gibson Street. Ah'm a bit ae an odd yin, livin in Glasgow Uni territory while goin tae Strathy. But livin in the west end is jist so… me. Gettin brunch at Papercup, huvin efter class drinks at the Chip, jist the general feel ae the place. Mum hus tae fit the bill fur ma rent but we decided ah deserved the best student experience possible so.

When ah get tae the door ae the close, ma key disnae work in the lock. Ma brain is sair fae tryin tae come up wi explanations fur everyhin. Suhin must huv happened in the subway. Some kind ae undergroond pressure hus changed the shape ae ma door key, and ma locker key, so they willnae work. Ah dunno if that explains ma face changin. Mibbe ah could sue the Glasgow Subway for ruinin ma face. Ah might win aboot £3.50.

Ah press the buzzer fur the flat across the landin fae me, 2/1.

'Hello?'

'Hiya, Nessa. Furgot ma keys.'

'Oh, is that you, Daisy? You sound a bit different.'

'Aye, sorry, huvin wan ae they days.'

'I know what you mean.'

Bzzzzz.

The close hus been cleaned recently and the stairs urr dark and shiny and smell lit bleach and lemon. Ah make it up tae 2/2 and don't even bother tryin ma door key. Ah lift aff the gnome's heid by the welcome mat and dig ma hawn intae its skull tae find the spare key.

Closin the door behind me, ah throw ma bag tae the flair. Then ah peel ma dress ower ma heid and chuck it somewhaur in the direction ae the laundry basket at the side ae ma bed. Ma face smacks doon on the duvet cover. Ah don't huv the energy tae drag masel up the bed and pit ma face on the pillow. Ma legs dangle aff the end and ah feel ma heart rate slowin doon finally. Ah cannae wait tae wake up and everyhin bein back tae normal. Mibbe ah'll even go a run. Aye, ah'll definitely go a run. As long as ah don't get a stitch while ah'm warmin up.

It's beyond **a joke now** *everybody hates you.* *You made an* **absolute arse** *of yourself and* **you** **deserve** *everything you get. Frances and Sam* **love** **the shifts** *when you're not in.*

These thoughts urr iways worse when ah'm tryin tae sleep. When thur's nuhin else tae distract me. Jist ma thoughts and me.

The front door slams shut. Ma heid shoots up fae the bed. Ma heart rate shoots back up an aw. When ye live on yer ain and someone else comes intae yer flat while ye're sleepin, it fair wakes ye up.

Ah jump ontae the carpet and look fur suhin tae swing. Why did ah niver buy a basebaw bat? A lassie livin on her ain shid huv a basebaw bat, it's jist common sense. If ah make it oot ae this alive, ah'm buyin yin fur every room.

Could it be Mum come fur a Christmas visit? Here tae shout at me fur the scene ah made at the purvey yesterday? She's the only yin wi a spare key.

Ah hear the kettle bein clicked on. Then the livin

room telly. How did she manage that? Only *ah* know how tae get it on first time. Ye need tae shake the remote a wee bit first tae jostle the batteries tae life, then ye press the standby button while ye press volume doon at the same time.

Ah open the door jist a fraction and look oot. The livin room door is closed hauf the way ower, but ah can hear the *It's Always Sunny in Philadelphia* theme tune playin. Since when did ma mum watch *It's Always Sunny*? That's blown ma mind. Unless she got lost on the menus while she wis tryin tae find Graham Norton on the iPlayer.

The livin room door starts tae open and ah close ma bedroom door back ower. Ah hear soft fitsteps reachin the kitchen. Hus she taken her shoes aff? Is it possible that ma mum comes and watches ma Netflix and drinks ma tea while she hinks ah'm at work? She better no be usin ma gid Twinings Spicy Chai teabags. They wur a special treat tae masel, as it happens. Whit an absolute bold move on her part.

Or is this some kind ae side effect ae the grief? Is she gonnae go lit ma Auntie Jean and no wear socks? She might be seconds away fae stickin her sweaty toes on ma livin room table.

Ma fact-a-day calendar sways on the back ae ma door. It's showin Wednesday 6th December. That's obviously no right. Ah've been peelin them aff aw year, and especially this month cause they've aw been Christmas themed.

(The average person in the UK consumes 7000 calories on Christmas Day. Rookie numbers if ye ask me.) But somehow, they've attached again. Ah flick through the familiar pages fae the 6th tae the 22nd, the cartoons ae Santa and Rudolph and aw the gang flashin by in a second. They've been glued back on the calendar.

Ah look through ma drawers fur a jumper tae sling on. Ah find ma favourite purple yin, the yin ah've been lookin fur fur weeks. It wis starin me in the face the hale time. Ah stick on a pair ae thick grey leggins and dry shoes as well. Mum must've been in and moved ma claithes aboot or suhin.

The Venom-soaked dress is awready startin tae stink up the room wi a sweet, fousty smell. Ah pick it up and shove it right tae the bottom ae ma bin so Mum disnae see it. Finally, ah slip a tenner oot fae ma emergency stash in ma pants drawer. Ah'm needin an emergency bottle ae Echo Falls and a Terry's Chocolate Orange.

Ah step softly ower the laminate floor ae the landin. She's chucklin away in the livin room. Ah've niver noticed whit an annoyin laugh she hus afore. Ah hope she's went on a different profile on ma Netflix at least. Ah'm no wantin her messin up ma progress.

The door's ajar. Ah nudge it open a tiny bit mair. Jist enough tae get ma heid poked through.

The person sittin in ma livin room isnae ma mum.

15

The gurl sits on ma couch. The gurl sits jist like *ah* sit when ah sit on ma couch. Wan leg tucked under her, the other straight oot on the table. She's wearin an outfit ah'm sure *ah've* got and ah wore it no that long ago. The gurl's hair looks cute fae behind, ah cannae deny that. Ah bet naebdy ever tells her that.

She's laughin at the same bits ae *It's Always Sunny* that ah mind laughin at. Ah watched this episode a couple ae weeks ago, the yin wi the dumpster baby.

She's drinkin fae ma favourite mug. When she dunks her marshmallow intae the hot chocolate, she wipes it roond the rim tae get aw the dry, chocolately remnants like ah dae.

Ah really dae mind watchin this episode. Ah mind pausin it cause ah missed wan ae Dennis's lines when ah wis muckin aboot wi the marshmallows. And when ah paused it, jist lit this gurl is daein, ah hud this weird feelin lit somebdy wis watchin me.

The gurl's heid turns towards me. Ah jump back behind the door.

And ah also mind, as ma heart throttles up a gear inside ma chest, that ah wis really paranoid that day. So ah got up fae the couch and went and checked the hall jist in case thur wis somebdy else in the flat.

Ah open the front door as quietly as ah can, grab ma

bag fae the flair, and close the door behind me. Ah've no got time tae get the key fae the gnome so ah leave it unlocked and rush doon the stairs.

Ah mind freakin oot a couple ae weeks ago cause ah wis *sure* ah'd locked the door when ah got in that day and then ah found it unlocked.

When ah reach the street, ah take a sharp right and hide behind the bushes. Ah definitely looked oot the windae that day fur a gid thirty seconds tae make sure somebdy hudnae been in ma flat. Ah wis waitin fur the postie tae emerge fae the close but he niver did. Ah thought ah wis losin the plot but noo ah'm no so sure.

Hunched behind the bush, watchin a spider danglin and cyclin its legs, ah decide ah need help. If Frances and Sam don't recognise me, ah hink ah can rule oot goin tae any mair ae ma pals, and ah can only imagine the party Siobhan wid huv if ah turnt up at her office and telt her ah'm huvin hallucinations. She'll probably tell me it's cause ae Steven's death as she's tenderly wrappin the straightjaiket aroond me.

You could go to your mum **if she didn't hate** *you**r guts. She wouldn't recognise you with this face. She barely recognises you* **these days.**

Ah don't need that the noo. Ah need somebdy that can actually help me. Ah need somebdy who might be able tae explain whit's goin on.

Ah walk aw the way back intae toon centre, avoidin reflective surfaces whaurever possible. Ah don't plan on ridin the subway again jist yet.

Ma jumper's thick but the air's freezin and ah wish ah'd hud time tae grab a jaiket afore ah left the flat. Ah pull ma arms oot the sleeves and cross them across ma chest inside the jumper. The sleeves dangle and sway as ah walk and occasionally bump intae ma belly.

Thur's closer stations ah could go tae. Hillhead, Kelvinbridge, or the scene ae the crime itsel: Cowcaddens. But Buchanan Street is basically the main station and Yotta said she usually works at HQ so that's me pittin two and two thigether.

It's so cauld ma breath nearly turns solid in the air. Ah reach ma hawn oot and it disappears behind the fog. Patches ae ice dot the pavement and ah huv tae slow doon tae avoid goin erse ower tit. Every other shop hus a tiny sprinklin ae grit at the entrance so folk urr safe on thur feet fur that yard and a hauf and cannae sue if they fall ower.

Ah continue on ma way. Folk on Buchanan Street don't tend tae move oot yer road. Ah feel lit ah'm gettin mair stares than usual. Well, *ah'm* no. Fake Daisy is. Whoever this person is that ah currently look lit. Ah need a new name fur this new face. Whit's like a daisy? A rose? Rose. It's as gid a name as any. Whit's in a name and aw that.

Ah pass by a kind-lookin auld lady. Her jaiket's open and the Christmas tree on her jumper twinkles wi wee coloured bulbs.

'Excuse me,' ah say. 'Whit's the day's date?'

'Eh, hing on,' she says, grabbin her mobile fae her handbag. She flips open the phone case and peers at the screen ower her glasses. 'It's the 6th.'

'Oh,' ah reply. 'Urr… ye sure?'

'Ah'm no blind yet, hen.'

'Course no, thanks.'

Ah walk further doon the street. Daft auld bat. She's obviously got the wrong settins on her phone and nae grandkids tae fix it fur her. Ah wait until a woman ma age comes up Buchanan Street and ah ask the same question.

'The date?' she replies, slippin her phone fae her back pocket. 'Ah hink it's the 6th.'

She checks the phone.

'Aye, the 6th.'

Ma heart sinks, lit it's been dunked in a bucket ae cauld water.

'…ae December?'

The woman pits her phone away.

'Och, ah've nae time fur this. Bloody students, wastin ma time.'

She powers past me. It's wan hing askin the date but askin the month makes folk hink ye're a bit funny.

A thought occurs tae me. Mibbe ah'm in wan ae they mad Derren Brown programmes whaur everyone's in on it apart fae me. Whaur he's testin how far he can push a person's mental state afore they crack. He's hypnotised me so ah don't recognise ma ain face in the mirror. Ah've iways thought they programmes might be fake but this certainly isnae fake. And ah'd watch this. Sendin a lassie back in time *and* she disnae recognise her face? Ah'd watch that, fur sure.

But how wid he fake every single person on Buchanan Street, a few days afore Christmas no less, pretendin it's December the 6th? He surely couldnae fake everybody. Surely no aw the folk workin in the shops as well.

So let's test it oot, Daisy. I mean… Rose. Ah look aroond the shops and pick yin at random. Sainsbury's.

Ah go inside. The temperature disnae seem aw that different fae ootside. Two members ae staff wear black gloves as they stock chicken and mince intae the fridges. Ah'm no askin them, that's too obvious. Ah'll go deeper intae the shop.

Ah make ma way tae the pizza counter at the very back.

'Excuse me,' ah say tae the lassie, who looks lit she'd rather be anywhaur else.

'Two seconds,' she says, slidin a huge tray intae the

oven and wipin her hawns on her pinny. 'Whit urr ye huvin, hen?'

'Ah jist wanted tae ask if ye… knew the date the day?'

She looks tae the calendar on the wall behind her.

'It's the 6th.'

Ah clench ma eyes shut. Ah haud them shut so tight ma ears rumble lit ah'm underwater. A few seconds pass then ah open them again.

'Ye're sure?' ah ask.

'Aye, ah can tell cause yesterday wis the 5th, see. Ma brother's birthday. Selfish if ye ask me, that close tae Christmas, he shidnae huv been expectin a present, but then oor Dale's iways been a bit selfish. Anyway, he got a tenner in a caird and he can like it or lump it. So, that aw ye're wantin?'

Ah nod.

'Unless,' ah say. 'Urr ye… a friend ae Derren Brown? Cause if ye urr… ah've worked it oot and yeese can aw stop noo. Ye can turn the cameras aff.'

'Whit urr ye gibberin aboot? Ye wantin a pizza or no?'

'Niver mind.'

Nae mair messin aboot. Only wan person can help me noo, and her name's Yotta. Y-o-t-t-a.

16

Ah linger ootside the entrance tae the Buchanan Street subway. Folk seep aff the escalator in batches, bags-fur -life tucked under thur oxters.

Ma mum iways tells me ah shid appreciate bein a student while ah can, cause ah can go tae the shops while everybody else is at work. And someday ah'll huv a nine tae five, Monday tae Friday office job and ah'll need tae fight the crowds on the weekend.

It's funny, even though ah've niver hud any particular talents or abilities, in high school it seemed lit that widnae be ma life. Ah wis certain that *ah* wis special. No that ah pit in any extra work lit the Duke ae Edinburgh folk but ah knew fur sure that ah wis different fae the rest ae them in ma year. And ever since ah started uni it feels lit the countdown clock hus started and it's countin towards me applyin fur Tesco Bank cause ma Auntie Jean can get me an interview. And then that'll be me fur fifty years. *Tick tock.*

*I can't believe you thought **you** were special. You have **nothing unique** about you and it's **already too late.***

The escalator carries me doon tae the subway. Ah skip by the self-service machines and approach the main counter. The guy on the other side ae the glass is an aulder man. He flicks through a thick pile ae pre-printed tickets lit a blackjack dealer.

'Hullo,' ah say.

He disnae reply but raises his eyebrows in anticipation ae me sayin *single*, *return* or *all day*. A few seconds pass in silence. His eyebrows go even higher tae hurry me along.

'Ah'm Rose,' ah say finally. 'That's ma name the day. Every day, actually. Ah've jist got the wan name, obviously, cause ah'm normal. Jist a normal woman huvin a normal day. Ah'm named efter a rose. Lit the floo'r. Jist a wee rose. Whit's your name?'

'Walter,' the man says. 'Urr ye wantin a ticket?'

'Well, no really. It's jist, ah've a sort ae… complaint.'

'Oh aye, did ye leave suhin on the subway?'

'Kind ae. Wid ah be able tae speak tae Yotta? Is she in the day?'

He looks as bored as it's possible fur a human tae look.

'Ah dunno who that is,' he says.

'She's new, ah hink. Sort ae… medium height, long flowin white hair, talks in riddles, works the late shifts?'

'Niver heard ae her.' Walter turns tae the back ae the booth and shouts tae somebdy ah cannae see. 'Here, Donna, dae we huv a new start called… Lotta?'

'Yotta,' ah correct him.

'Yotta,' he shouts.

'No tae ma knowledge,' comes the reply.

He swivels back roond and shrugs. Lit that is the

maist he possibly could've done in the circumstances.

'Well, can ah speak tae somebdy then?' ah ask.

'Ye're speakin tae someone right noo, urr ye no? Dae ah no count?'

'Ah suppose, but it's quite a *specific* complaint. Is thur a special person that deals wi complaints?'

'Ah hink ye're overestimatin the workforce aroond here, hen.'

His eyes drift away fae me and ontae his computer screen. His hawn creeps across the desk tae his moose and he clicks it wan time, then again. He switches his gaze back tae me and looks disappointed ah've no skulked away.

'Ah'd like tae speak tae somebdy in charge,' ah say, hatin the fact that ah've turned intae the very hing ah hate the maist. But this isnae really me. This is Rose. Rose asks tae speak tae the manager and disnae feel uncomfortable aboot it. Rose complains her way tae a discount she shidnae really get jist cause the staff want rid ae her.

'Ah'll get ye a manager if ye tell me whit ye're moanin aboot,' Walter says.

Wi ma eyes closed, ah take a deep breath. *Remember, Daisy, this isnae you sayin this. This is Rose.*

'Ah fell asleep on the subway last night,' ah say. 'And when ah woke up, ah wis a different person and ah'd went back in time. So if ye can point me in the direction ae someone who can help me wi that, ah'd greatly appreciate it.'

Ah smile. Walter pits his pile ae tickets doon. His fing'rs adjust his watch, movin it slightly up his wrist tae reveal a lighter strip ae skin, then movin it back intae place.

'That right, aye?'

'Aye, that's right.'

'Aye?'

'Aye.'

He smiles and leans in closer tae the glass. Ah go on ma tiptoes and lean in as well. Ma nose is a few inches fae the circular pattern ae airholes in the glass.

Walter lowers his voice tae a whisper.

'You escape fae somewhere, doll?'

Ah lower masel back doon, ma calves untightenin.

'One, ah'm no a doll, and two, ah'll escape yer face in a minute if ye don't start bein mair understandin, Walter.'

He raises his hawn and points behind me.

'Sorry, Rose, thur's folk waitin. And they're no on psychedelic drugs like yersel.'

And lit that, the wife behind me barges me oot the way and asks fur a single. Her and Walter huv a chuckle as he prints her ticket and takes her change. Ah hink aboot smashin her heid through the windae. If ah wis lucky ah could crash thur nappers thigether. It widnae even be me daein it. It'd be Rose. Ye cannae pit a fake person in the jail.

Thur clearly gettin weirded oot cause ah'm still no leavin. Ma legs don't want tae take me away though. Cause ah've naewhaur tae go. Yotta wis the only yin that could help me. If ah leave the subway, ah don't huv a clue whit ah'm supposed tae dae next.

'Here,' Walter says, pressed up against the glass. 'Get oot or ah'll phone security.'

Ma feet move slowly and ah'm barely aware ae whit direction thur takin me in.

So whit next, Daisy? Come on, hink aboot it. Whit huv ye got up yer sleeve? Big bad Daisy who disnae have feelings. Whit next?

By the time ah reach the top ae the escalator back ontae Buchanan Street, ma heid is spinnin. Ah jump up and sit on the ledge at the entrance. Ah pull ma feet up as well and tuck them under me lit a wean at assembly. If it wisnae so cauld, ah'm sure ah could sleep here.

The chill ae the wind soon works its way under ma shoes and socks. Ah curl ma toes back and forth as quick as ah can tae keep the blood in them.

In ma mind, ah picture the Strathclyde Uni buildings, tryin tae work oot whaur ah could go and mibbe huv a sleep. Level 2's iways roastin, that could be a shout. Then again, there's the abandoned labs in the Royal College Building. It disnae smell great in there but it's better than nuhin. Ah can go and get a bit ae warmth at least. If ah get a full night's sleep, rather than jist a nap, it might make hings go back tae the way they shid be.

Ah'm mentally gearin masel up tae hop aff the ledge when ah hear a voice.

'Excuse me?'

A woman aboot ten years aulder than me stands in front ae me. The orange ae her high-vis vest glimmers against the grey ae the street.

'Oh hullo,' ah say. 'Sorry, dae ye need me tae move? Ah wis jist goin.'

'Don't worry aboot it,' she says.

The lassie produces a flask and pours hot tea intae the lid, the steam risin and disappearin afore oor eyes. She smiles as she passes the cup tae me and ah say thanks. Ah've nae clue why she's daein this, especially efter ah've jist been turned away by wan ae her colleagues. She must hink ah've a screw loose. Ah'll let her believe it if it gets me a free tea.

'Ah'm Rose,' ah say, takin a sip. It's fuckin dynamite and warms ma chest lit a spilled pint spreadin across a pub table.

'Jill O'Brien,' the gurl says, hoppin up next tae me. 'Well, it's Jill O'Brien noo. Ma name used tae be Elouise Green. Afore ah went back in time on the subway.'

Ah turn tae face her. She stares at her shoes.

'Ah heard whit ye said tae Walter,' she says, then turns and looks in ma eyes. 'We shid go somewhaur and talk.'

17

Highway to Hell is playin in the Hard Rock Café. Ah respect that they don't change their playlist fur suhin silly lit Christmas. A signed guitar, black wi white roond the ootside, sits in a display case hung on the wall next tae me. Ah don't recognise the guy in the photie next tae it.

Ah sit in a booth and fold a napkin intae a wee cup. Ah begged ma mum fur an origami book and aw the fancy coloured paper when ah wis younger. She got me it aw and ah niver made it past the cup on page two.

Jill returns tae the table wi oor drinks. Pint ae Heineken fur me, pint ae Coke fur her. She's on her lunch break so ah let her aff wi it. She sits doon opposite.

'Cheers. Shid ah call ye Jill?' ah ask. 'Or Elouise?'

'Let's stick wi Jill,' she says. 'Naebdy's called me Elouise in years.'

Ah take a swig ae lager.

'Jill, last night ah fell asleep on the subway and woke up lookin kind ae lit me but no me.'

Ah roll ma sleeves up and pit ma arms oot in front ae me tae inspect them properly. Roughly aboot the same amoont ae hair but a touch lighter and a new mole on the crook ae ma left arm that Rose might want tae get checked.

'And noo,' ah continue. 'Naebdy recognises me. It's apparently the 6th even though it shid be the 23rd. Up is doon, black is white, etcetera. So… can ye help me?'

The bartender passes by the table and ah remind masel tae keep ma voice a bit lower when ah'm discussin time travel.

Jill's red and white straw turns broon as Coke shoots up it and intae her mooth.

'On the 4th ae March 2012, ah went oot fur a drink wi ma pals,' she says. 'That turnt intae two drinks which turnt intae us absolutely steamin by teatime.' She smiles and stares at the table, pausin fur a second. 'Ah stumbled oot ae Sloans at some time efter eleven and decided ah could make the last subway back tae Shields Road. Ma flat used tae be right near the station.'

She plays wi her straw. It's awready splittin and tearin at the top. Her fing'rnails urr red and gleamin, probably hud them done in the last day or two.

'When ah got tae St Enoch station, the guy wis closin ower the big gates tae shut up fur the night. Ah snuck by him and doon the escalator. Another guy tried tae stop me once ah got doon there but, ah dunno, the drink makes ye a bit quicker than normal ah reckon. Passed him and jumped the barriers. The next escalator hud been turnt aff and ah nearly snapped ma neck stumblin doon the stairs.'

AC/DC fades intae the Foo Fighters. The TV screens show the video fur *Learn to Fly*. A group ae folk come in the entrance, takin aff gloves and scarves. Thur here fur thur Christmas lunch. They get ushered tae the furthest away corner.

'Anyway, the screen said ah'd missed the last subway,' Jill says. 'Then this… subway worker appeared and telt me ah could get the next yin. Roger, his name wis. He wis talkin aw sorts ae nonsense but he ended up bein right. Wan pulled up a minute later. Thur wis naebdy on it.

'Ah wis hauf cut, so ah didnae question it and ah got on. Six, seven oors later ah wake up wi a dug lickin ma face. Big Alsatian type hing. So ah get aff and tell them ah've lost ma ticket and they let me through the barriers. Ah thought ah'd got lucky since ah'd woken up at Shields Road. Ah got hame withoot seein anyone ah knew or catchin ma reflection or anyhin. Ah wis fairly sure ah looked a state so ah didnae want tae see whit ah looked lit, tae be honest.

'Ma front door key didnae work in the lock, so ah used the spare under the doormat and went tae sleep aff the hangover.'

Ah nod. Ah'm glad ah'm no the only yin who solves maist ae ma problems by goin tae ma scratcher and hopin hings huv magically fixed themsels by the time ah wake up.

'Ye'll niver guess who woke me up this time?' Jill asks me.

'Another Alsatian?'

'That wid've been better. It wis… me.'

'You?'

'Aye, me.'

'Whit d'ye mean, 'you'?'

'Ah mean… ah opened ma eyes and… it wis me, Elouise, standin over me.'

Ah hink aboot the gurl sittin on ma couch, watchin ma telly and drinkin ma hot chocolate.

'That nearly happened tae me,' ah tell her. 'But ah managed tae sneak oot afore ah saw masel. Whit happened next?'

Jill curls her hawns aroond her glass.

'Ah screamed and ran oot the flat.' She points at her chest. '*Ah* did. The new me. Me that's sittin in front ae ye the noo. Jill.'

'But if you saw you…'

Ah pause. Ma brain is strugglin tae keep up.

'If the auld you,' ah say. 'Elouise, saw the new you, Jill… then surely ye shid've awready been through that? See, two weeks ago, ah remember hinkin thur wis somebdy in ma flat. Ah remember that. So when ah wis in ma flat jist there, ah knew ah hud awready lived through that. Ah definitely wid've remembered actually seein somebdy.'

'And ah did,' Jill says. 'Ah did remember it.'

Jill brushes her hawns through her hair. She slips a scrunchie fae her wrist intae her hair and pits it back intae a ponytail. Ah wonder whit she actually looks lit. Ah wonder whit Elouise looks lit. Ah want tae ask her how long it took tae get used tae seein the wrong face in the mirror but ah'm no sure ah want tae hear the answer.

'A few weeks afore,' she says. 'Ah hud went hame and found a strange lassie in ma bed.'

Ma mooth automatically opens tae make a joke. Ah close it back ower.

'She screamed, ran oot the door and ah niver saw her again. Ah'd nae clue who she wis or how she got in the flat. Ah phoned the polis. They said she wis probably jist a rough sleeper who'd found an empty flat and decided tae chance her luck. Ah wis pretty nervous comin hame for the next wee while efter that. Turns oot it wis me. It wis… Jill.'

Jill twists a ring on her middle finger. Her skin goes pink and white, hundreds ae tiny criss-crossed wrinkles smoothin oot and reappearin near her knuckles.

'Ah tried findin Roger again,' she says. 'But there wis nae record ae him ever workin fur the subway. They telt me it must've jist been some guy wearin the uniform fur a laugh. Ah niver saw him again.'

Ah can tell fae the way she talks that she's telt this story hunners ae times in her mind. Ah wonder if this is the first time she's said it oot loud.

'But… ah hink they felt sorry fur me, that day ah went and asked aboot Roger. They took me through the back, gave me a cup ae tea. They telt me they wur gonnae be lookin fur new staff in a few months.'

She hauds her palms up tae the ceilin, as if ah can fill in the rest ae the story masel. But thur's so much ah still need tae know.

'So it's happened tae baith ae us,' ah say. 'We baith went back in time. And we baith woke up wi different faces.'

She stares at her cola lit she's hopin it'll change intae suhin stronger. Part ae me wants tae help her. But ah cannae help her unless ah help masel first.

'Ah can jist aboot deal wi the time travel hing,' ah say. 'Ah've seen *Back to the Future* enough times. But why dae we huv different faces and bodies? Marty McFly got tae keep his.'

'Ah don't know fur sure,' Jill says. 'They first couple ae years wur the worst—constantly hinkin ae theories tae explain it, as if ah could still change hings back tae the way they were. But in the end… nuhin's gonnae change it. At some point, ah stopped tryin tae explain it.'

She shrugs, as if that's it. That's aw she gonnae gie me. That's aw she *can* gie me.

'Anyway,' she says. 'Ye can stay wi me fur noo, while we…'

Jill goes on and ah struggle tae pay attention. Ah don't even fancy ma pint anymair. It's went right tae ma heid. Tae Rose's heid. Course ah'd get pit in the body ae a lightweight.

Ah've no mentioned Yotta tae her. She couldnae find this Roger guy but ah could still find Yotta. She's ma last hope and ah don't want Jill tae take her away fae me yet.

'Wan bit ae advice,' she says, and suddenly ah remember ah'm in a Hard Rock Café wi a fellow time traveller. 'While ah remember. Don't go and see yer family.'

'How no? No even ma mum?'

'Especially yer mum. Imagine goin tae see yer mum and she disnae recognise ye. Imagine her starin right through ye lit a stranger. Imagine her walkin away fae ye when ye need her the maist. Trust me. Don't go and see yer mum.'

Ah can only assume Jill went tae see her mum at some point and it didnae go well. Ah hink a visit tae ma mum wid actually go better if she saw me as a stranger.

'Ah don't mean tae be rude,' ah say. 'But… ye gave up? That's you accepted it noo? Ye niver got back tae yer real life and ye've stopped tryin?'

She pinches her lips thigether.

'Aye, and believe me, once it's been a month or two, you'll be the s—'

'Did ye try?'

No Doubt is the next band on the playlist. Thur's a shift change behind the bar and the two barmen are chattin. Wan flicks his heid ower at us, as if tae say '*keep an eye on they two troublemakers*'.

'Course ah tried,' Jill says, in a pure teacher voice. 'Ah

wis on that subway mair times than a Govan rat. Inner, outer, it didnae matter. Ah got blackoot drunk and fell asleep on the last subway, didnae work. Ah took sleepin pills and rode that hing so hard ah nearly got banned cause they thought ah fuckin lived doon there.'

Jill takes oot her purse and slides a caird across the table tae me. The table's sticky and ah peel the caird aff wi ma fing'rnails.

'Take that,' she says. 'So ye can check fur yersel. Ah know ah'd want tae try if ah wis you. It's ma spare subway caird. Free travel. Try as many times as ye want.'

On the caird, Jill's smilin face stares back at me. Ah pit it in ma pocket.

Then she says suhin that takes me by surprise, in whit's awready the maist surprisin day ah've hud in quite some time.

'Huv ye lost someone important recently, Rose?'

The question takes me aff guard. Fur wan, because she calls me Rose. Ah stare intae the dregs ae ma pint. Ah don't even mind finishin it.

'Important might be pushin it,' ah say. 'But ma stepda jist died. How?'

'Well, it's jist a theory ah iways hud. Suhin Roger said afore he sent me back. That ah hud a life tae save. It might be the same fur you. Ye might huv been sent back tae save him.'

18

The water fae the tap feels cool on ma skin. On Rose's skin. Ma hawns weave under the tap and ah splash some on ma face. Ma reflection looks back at me. Ah don't *hate* ma new face. Thur's a lot ae similarities and it's nae wonder Sam thought ah might be related tae Daisy. Mibbe ah could get used tae a new face every noo and again. It'd make goin fur nights oot back in East Kilbride a lot easier. No huvin tae worry aboot folk fae high school tryin tae talk tae me.

But it's no me. Ah'm Daisy, no Rose. This person starin back at me disnae belong tae me.

Ah gave masel a once ower in the cubicle, since ah wis finally alone. No a huge difference fur the maist part. Rose's nipples huv jist as much hair aroond them as mine dae so nae luck there. It's actually kind ae nice, ma body dysmorphia husnae taught me tae hate everyhin aboot this body yet.

The toilet door opens and Jill joins me in the bathroom.

'Sorry,' she says. 'Ah don't mean tae check up on ye, but ah thought ye might try tae bolt.'

'It's no lit ah've anywhaur tae go,' ah say.

Ah go tae the hand-dryer. The room is filled wi the whooshin sound ae the dryer and ah gie Jill a polite smile as we wait fur silence tae talk again. Ah leave ma hawns in fur longer than needed, until the last water droplet trickles backwards up ma wrist.

'Ye hink that whitever entity sent me back in time,' ah say. 'Did it so ah can save ma stepda?'

'If ah hud tae bet,' Jill says. 'That's whit ah'd pit ma money on. Ah hink ye've been given a second chance… jist lit ah got wi Freddie.'

Ah pull ma sleeves back doon, coverin these pale arms ah've been given.

'Who's Freddie fur a start?'

Jill leans against the wall, her heid restin on a torn poster fur a bonfire night party.

'He wis ma friend. We met in high school. Ah moved schools midway through fifth year and he wis the only yin who spoke tae me, helped me wi ma Highers and that. He passed away a couple ae weeks afore ah got sent back. It hud been a while since ah last spoke tae him.

'Roger mentioned him, that night on the subway platform. He said ah hud a second chance. Ah didnae know whit he meant until later. Ah tried tae save Freddie but…' She lowers her heid and the poster crumples behind her hair. 'Ah couldnae. Ah couldnae change anyhin. It wis impossible.'

Jill's tremblin. She clasps her hawns thigither tae stop them shakin.

'Ye've been given a second chance, Daisy. If ye could save him, there could be a chance fur ye tae get back.'

She's alternatin between callin me Daisy and Rose, as if she's no sure which name is right.

A blonde lassie comes intae the toilet. We turn oor heids towards her.

'We're huvin a meetin,' ah say. 'Time travellers only, d'ye mind?'

She turns and leaves withoot a second thought.

'Who's sayin ah even want tae save Steven?' ah say.

'Well, d'ye want yer auld face back? Yer auld life back?'

'And savin a random guy's gonnae get me that back? Ye've nae idea if that'll work. Folk die, Jill. It's no up tae folk lit me tae play God. You clearly didnae save this Freddie guy and noo ye work fur the subway. Furgive me if ah don't follow in your fitsteps.'

She pushes me and ah slip and hit the deck. Ah land on a wet patch and don't look back up, hopin she can resist punchin me in the back ae the heid. Ah feel her standin ower me.

'Ye'll dae whit ae tell ye,' she says. 'Or ye're on yer ain fae here. Dae ye realise how fucked ye urr? Dae ye know how hard it is tae live when thur's nae record ae ye? D'ye realise whit it takes tae create a hale new identity? The hings ye huv tae dae? The people ye huv tae deal wi?'

'Aye, aye,' ah say tae the flair tiles. 'Ye're bluffin. You need me.' Ah stand up and look her in the eye. 'You need tae see whit happens if ah save ma stepda. Ye're stuck here workin at the shitey, time travellin subway until ye can work oot how tae get back. And ah'm the best chance ye've got.'

Anger beams oot her eyes and hits me lit lasers. She turns and leaves. Through the open door ae the bathroom, *Blitzkrieg Bop* ramps up.

Buchanan Street's got busier ower the last couple ae oors. A beardy guy in a leather jaiket is playin *I Wish It Could Be Christmas Everyday* on a tatty acoustic guitar, and gid lookin lassies in bright yellow kagools urr tryin tae stop folk tae talk tae them aboot wildlife conservation. Thur mainly targetin the men and it seems tae be a winnin strategy.

Ma stomach rumbles and ah regret no askin Jill tae buy me a burger at the pub. Ah could easily find her again at her work, but ah don't want barred fae the subway. She'll come and find me eventually. She needs me and she knows it.

Ah huv the tenner ah swiped fae ma stash, but ah don't want tae break that jist yet. Ah approach the busker playin Wizzard. As ah get tae his guitar case, ah lean forward and pit ma hawn intae it. Ah make eye contact and he smiles.

'Thank you,' he says, wrappin it quickly roond the lyrics.

Ah slip some money fae the case. My hawn hits the other coins, makin a janglin sound. The guy's too busy lookin at ma cleavage tae notice. The cleavage that's buried beneath ma jumper. Ah huv not one sliver ae skin on display and yet… This isnae exactly an original thought but: fuckin men, eh? Fuck's sake.

The money ah swipe is enough fur a meal deal fae Sainsbury's. Ah get a chicken and bacon sandwich, a Dairy Milk, and a bottle ae Pink Lemonade Lucozade. Growin up, when ah wisnae well, ma mum wid rush oot tae the shop and return wi a six-pack ae Lucozade lit that wis mair important than any medicine on Earth. It wis the only time we'd huv fizzy juice in the fridge and in a weird way it made me quite look forward tae gettin the cauld. And tae this day, Lucozade's still ma go to if ah'm no quite feelin masel.

Ah eat ma lunch on the Concert Hall steps. Buchanan Street stretches fur ages in front ae me and Argyle Street is a tiny line on the horizon. The busker finishes his set and tidies away his gear. Ah throw a crumb fae ma piece and three pigeons fight ower it.

Further along ma step, ah notice a guy checkin me oot. He turns tae face the other direction when ah look at him. It's Robert. Six-fit-four Robert who goes tae purveys wi lassies on first dates. Correction: six-fit-four Robert who's *gonnae* go tae purveys wi lassies on first dates. He's blissfully unaware ae whit oor first date is gonnae be like.

Ah finish ma piece, stick the chocolate in ma pocket and go and sit next tae him.

'Ah saw ye lookin,' ah tell him.

Robert rips oot his earphones. His music's still playin and the earbuds lie in his lap lit tiny speakers blarin static.

'Aye, sorry,' he says. 'Ah thought ye looked lit somebdy ah know. Somebdy fae ma uni course. Ah didnae mean tae stare, sorry.'

Ah tilt ma heid. Ah'm tryin tae go fur flirty but it probably looks lit ah've got a crick in ma neck.

'Daisy Douglas?' ah ask.

He near enough jumps back, then looks aroond tae see if anyone's watchin us. He adjusts his yella woolly hat and frowns.

'Aye,' he says. 'How did ye know that?'

'Ah get it a lot,' ah say. 'Me and Daisy urr pals, as it happens.'

'Aw really? That's mad.' He seems genuinely tickled by this. 'Youse look lit sisters or suhin. That's mad.'

Ah tilt ma heid the other way.

'D'ye fancy her, aye?'

'Eh,' he hinks, and looks lit he's giein it serious thought. 'Kind ae. Promise ye'll no tell her?'

Ah cross ma heart wi ma fing'r.

'Promise.'

'Every time she comes up on ma Tinder, ah jist close the app,' he says. 'Ah don't want tae swipe right on her in case she disnae dae it back. But then ah don't want tae swipe left in case she actually does swipe right. Either way, it wid make oor seminars dead awkward. Ah wis jist gonnae wait til the end ae the year when oor classes urr finished. Unless… ye wanted tae pit in a gid word fur me?'

Ah stand up and take a swig ae ma Lucozade. Thur's mair sugar in the Pink Lemonade than any other type. It's lit drinkin a Disney fulm.

'Ah'll dae ye wan better,' ah say. 'Ah'll tell ye a sure-fire way tae impress her. Ye know whit she really likes? And this might surprise ye. She likes it when guys super like her on Tinder.'

'Surely no.'

'Ah'm tellin ye. You super like Daisy and ye'll be in wi a chance. Make sure yer bio says how tall ye urr though. And if she asks, tell her yer favourite Frightened Rabbit album is *The Winter of Mixed Drinks*.'

'Aye?'

'Aye. And, don't tell her ye heard this fae me, but she's dynamite in bed. That's whit everybody says. Ye can ask anybody. She's definitely no a vir… she's experienced, so ye can be sure she knows whit she's daein. She's a bit ae a wind-up merchant but she's worth it.'

Robert opens his mooth tae speak but ah don't gie

him the chance. Ah don't look back as ah make ma way doon the steps. Ma hawn finds Jill's subway caird in ma pocket, still sticky fae the table in Hard Rock.

Let's go roond again.

19

The Cowcaddens subway feels different in the daylight. Lit aw the ghosts and ghoulies only hing aboot here at night.

Ah came up here tae avoid any chance ae bumpin intae Jill again. Ah press her staff caird tae the sensor on the barrier and it opens. Ah avoid lookin at the staff in case they recognise me fae last night. Then ah remember it wis Daisy's face they saw last night and ah'm certainly no wearin that the day.

The inner line rolls intae the station and rattles in ma ears. A lone woman gets aff and rushes past me, probably late fur work. Ah get on the quietest carriage ae the three and slump ontae a seat.

Thur's fifteen stops on the Glasgow Subway, eight on the north side ae the river, seven on the south side. (Sixteen, if Yotta's right and thur's a secret yin under the river but ah'm no so sure aboot that.) Thur's two minutes between stops, although there's some stops that feel closer than others. (Ye could probably race the subway on fit as it leaves Buchanan Street and get tae St Enoch afore it.)

So a full cycle takes aroond thirty minutes. That's a long time, especially withoot music tae listen tae. Wi every stop ah resist the urge tae jump aff and ask someone whit date it is.

While wur in the dark tunnel, haufway between Cessnock and Kinning Park, ah realise thur's another woman on this carriage who's been on since afore ah got on. She's wide awake, her eyes zoomin between the advertisin boards lit she's at Wimbledon. Her hair is greasy and she wears yellow ribbons roond her wrists.

She finally gets aff at Bridge Street. She stands up and moves tae the exit, but afore she goes, she leans back intae the carriage and makes eye contact wi me.

'Good luck,' she says.

The doors close and she's gone.

It's a relief tae get aff again at Cowcaddens. The air seems caulder noo. Ah rush up the escalator, tellin masel this is the kinda cauld ye only get on December 23rd.

Ma eyes take a little time tae get used tae the brightness after bein in the dim artificial light ae the subway fur thirty minutes. It's deid ootside and thur's naebody tae ask whit date it is.

Ma belly rumbles again but ah don't want tae crack open ma Dairy Milk jist yet. Ah try tae ignore the hunger as ah walk past a line ae cars, thur windscreens iced ower. A traffic warden is lookin in windaes, wan by wan, squintin at the tickets.

Ah walk ower tae him. Ma trainers crunch ever so

slightly on the groond.

'Here, pal,' ah say tae him. 'Whit's the date the day?'

He stops fiddlin wi his wee machine and looks towards me.

'It's the 6th.'

'Shite.'

The car next tae us disnae huv a ticket. Ah scrape frost aff the windae and stare at ma reflection. Ah'm still Rose. Her face is still sittin there on ma heid whaur Daisy's face shid be.

'Don't hink ye can pretend ye thought it wis another date,' the warden says. 'Ye'll be gettin a fine if ye've no bought a ticket.'

He lets oot a tut, and his breath turns tae wispy Glasgow smoke. Ah draw a smiley face in the frost ae this stranger's car.

'Fair cop,' ah say. 'Ye got me.'

A *whirr* and a *buzz* and a ticket squirts oot ae his printer. He rips it neatly in a perforated line and hawns it tae me.

'Wee early Christmas present fur ye,' he says.

Ah take the ticket, haud it right up tae his face, til it's practically touchin his nose, then rip it in hauf. His eyes don't move fae mine as he begins typin on his machine again. It *whirrs* and *buzzes* again and another ticket comes oot.

'Ah could dae this aw day,' he says.

'So could ah,' ah say. 'But ah've got a life. Well, ah've got two. And this isnae ma car.'

Ah wander doon Sauchiehall Street. It's dawnin on me that ah'll soon need tae find somewhaur tae sleep the night. If worst comes tae worst ah'll need tae go grovellin tae Jill afore her shift ends. But that's last chance saloon stuff.

Ah'm nearly at Firewater. Ah suppose it widnae be too hard tae pull somebdy in there and get a bed fur a night at least. Assumin they've got a bed. Ah once went tae a guy's flat in Shawlands and his bed wis jist a mattress on the flair. Fair enough when ye're nine-year-auld, pittin yer mattress on the flair fur a sleepover is excitin but no when ye're twenty, fuck's sake. And Frances wonders why ah've niver… Naw. Ah'm no gonnae try and pull anybody the night. Ah'm certainly no daein it in *this* body. Ah'm no expectin it tae be life changin, but ah'd at least like tae lose ma virginity in ma ain skin.

Afore Firewater is William Hill. Thur's a poster in the windae advertisin the odds fur a game the night. Liverpool v Spartak Moscow. 11/2 fur a 2-0 Liverpool win.

Except… it's no gonnae be 2-0 tae Liverpool.

20

The guy behind the counter takes ma coupon and feeds it intae the scanner.

'You support Liverpool?' he asks.

'When they're no daein ma nut in, aye,' ah say. 'How'd ye know?'

'Well, no many folk stick somebdy on tae win 7-0 unless it's their ain team.'

Ah smile and try tae look innocent.

'And ah've got Coutinho first scorer, don't ah?'

Ah panic a bit, wonderin if ah've mucked up the slip. He leans in close tae his screen.

'Aye,' he says. 'Coutinho, 7-0 scorecast. 200/1. Ten quid, please.'

Ah slide the only ten quid ah huv in the hale world tae William Hill. Ah look at the guy's nametag.

'Mike,' ah say, tryin tae turn on the charm. 'Ah'm Rose, by the way. Am ah allowed tae sit and watch the tellys in here? Noo that ah've pit a bet on?'

'Eh, aye,' he says. 'Yer game's no on til quarter tae eight, though.'

'Ah know, it's jist... ah don't huv anywhaur tae go.'

Ma eyes start tae water. Ah'm no even daein it on purpose. This feels lit the first time ah've been able tae stop and take a breath in oors. This is embarrassin. Ah'm actually glad ah've got the wrong face fur a second.

*Stop being **pathetic Daisy** we all know it's an act. You do not deserve **sympathy** you're embarrassing yourself.*

'Aw, hen,' Mike says. 'You jist go and sit doon. Ah'll get ye a cup ae tea.'

Ah nod and sniff and take a seat near the screens, which display a range ae horse races, odds, and sports fae who knows whaur.

Two aulder men at a nearby table look at me, then at each other. This is probably suhin tae tell their wives aboot when they get hame the night. Daft lassie cryin in the bookies. Wan ae them pulls a scabby packet ae hankies fae his pocket and pushes it along the table towards me.

'Happens tae the best ae us,' the hankie man says, then gestures to the guy sittin next to him. 'Alan here wis greetin lit a wee wean at the weekend there. Sheffield Wednesday let in a 95th minute equaliser and burst his coupon.'

'Don't remind me,' Alan says, itchin his bald spot. 'At least ma wife disnae phone me and tell me when tae come hame like you, Tony.'

Alan laughs and Tony looks confused.

'Your wife's deid, Alan.'

'Oh aye, that wid explain it. You were at the funeral, eh?'

'Ah wis.'

'Beautiful service, eh?'

'It wis, mate. It wis.'

The two ae them smile and nod at each other lit only pals that huv been through it aw thigether can. Mike fae the till arrives wi a tea fur me, and wee jugs ae milk and sugar.

'Ye don't bring us milk and sugar in wee pots,' Alan says.

'Aye, well, this lassie brings suhin different tae the place,' Mike says. 'Classes it up a bit.'

Tony pretends tae be shocked and lifts wan ae his legs fae under the table intae view. He points tae his black and grey trainers.

'Urr ye tryin tae tell me,' he says. 'That these urnae classin up the place? The boy in the shop said these urr the coolest trainers goin. Sketchers, they're called.'

Mike rolls his eyes. Ah chuckle politely.

The tea is lovely and hot and ah add four sugars jist cause ah can. It's Rose's teeth ah'm wastin. A few different commentaries come fae the tellys aroond us and Alan and Tony continue tae chat aboot nuhin in particular. It's lit a lullaby.

'Did you dae suhin new wi yer hair the day?' Alan asks.

'Aye,' Tony replics, touchin his fing'rs delicately tae the hair aroond his temples. 'Matt clay.'

'Oh aye? Ah might need tae get this Matt Clay guy tae cut ma hair next time.'

There's an arm on ma shooder, gently shakin me back tae life. Ma eyes open. It's dark ootside. Alan and Tony urr gone and Mike stands ower me.

'That's yer Coutinho goal,' he says, pointin tae the biggest screen on the wall. 'Only six mair tae go. Jist thought ye'd want tae know.'

Ah say thanks and close ma eyes back ower. Ah've got a feelin ah'm ontae a winner.

21

It's hauf time afore ah wake again. Ah huv another cup ae tea and a gie masel a few light slaps on the cheeks. Mike's sympathy extends a bit further and he makes me a cheese and ham roll. Ah eat it then the Dairy Milk and ah'm content fur the time bein.

Punters come and go less frequently at this time ae night, wi the horses finished fur the day and the fitbaw much mair enjoyable watched at the pub wi a pint in yer hawn. If the bookies wur allowed tae serve alcohol, though, some folk wid live here.

The goals keep goin in fur Liverpool and ah dae ma best actin, gettin mair and mair excited fur each goal. When the seventh goes in at 85 minutes, ah jump up fae ma seat and dae a few fistpumps tae keep up the illusion. Mike's enjoyin it as well.

'Amazin,' he says. 'No long tae go as well. Ye've no got the lottery numbers huv ye?'

Ah smile and shrug but realise how much better it wid be if ah could mind lottery numbers rather than Liverpool scores. But they probably don't let ye win the lottery if ye don't technically exist. Ah've iways wanted tae haud wan ae they giant cheques though, get ma photie taken while ah pop the cork ae an averagely priced bottle ae Prosecco, while knowin that every person lookin at me hates ma guts.

The final whistle goes and ah stroll up tae the counter, haudin ma slip above ma heid. Ah'm the last yin in the place. Spent an entire day in a William Hill—suhin tae check aff the bucket list.

Ah pass Mike the slip. His smile fades.

'Oh, Rose,' he says. 'Ye'll no get yer winnins the night, hen.'

'Whit? How?'

'It takes a wee while fur the system tae process the results,' he tells me. 'Sometimes overnight, and we shut soon. And it's quite a big win so ah'd need tae phone a district manager tae sign off on the payoot. Ye're best comin back the morra.'

*Oh no... big **bad Daisy** will need to sleep on the **street** tonight. Looks like a cold **one** out there. Now you're going to **see** what people with **real problems** go through everyday... your "problems" are **nothing.***

The tears return. They hover at the bottom ae ma eyes lit copper coins in a penny arcade machine. Ah blink them back.

'Is thur nae way?' ah ask, smoothin oot the slip between us. 'Ah *really* need it the night.'

Mike's face grows mair concerned.

'Ye owe somebdy?'

Ah wonder how many desperate folk Mike's seen on the other side ae this counter. Ah feel bad lyin tae him. He's been so nice, but ah'd feel worse withoot anywhaur tae stay the night.

'Aye,' ah say.

'Who?'

'It's a person called... Douglas. They don't mess aboot.'

He takes the slip and considers it.

'Let me see whit ah can dae,' he says. 'You go and sit back doon, it might take a few minutes.'

Mike must work some magic behind that counter, cause ten minutes later he comes oot wi two grand in twenty-pound notes and hawns it ower.

'Thanks so much,' ah say, stuffin the cash inside ma bra.

Ah've iways seen women stuffin cash inside thur bra on telly and wanted tae try it. It's no aw it's cracked up tae be. Ma leggins don't huv pockets so ah take the money back oot and pit it loose in ma bag. We can pit a man on the moon but we cannae pit pockets on women's claithes.

'Don't thank me,' he says. 'You're the yin that guessed 7-0.'

Ah shake his hawn and leave the shop. Sauchiehall Street is pitch black. Mike waves at me through the windae as the shutters rattle doon and he disappears behind them.

Some lads pass by and gie me the eye and then

disappear intae Firewater next door. A drink wid be perfect noo. Rum and cokes urr iways cheap in Firewater. It's debatable whether it's actually rum though; they iways pour it oot ae sight so ye cannae see whit unbranded shite thur servin.

Ah could get steamin, get on the subway and wake up the morra lit usual. As Daisy Douglas. Nae mair Rose. But that'd be too easy.

At the far end ae Sauchiehall Street, up in the black, black sky, above aw the other buildins, ah can see a bright white light. This must be how they Wise Men felt.

The automatic doors shudder open. Ah step inside the Premier Inn, rubbin ma arms tae warm them back up. A vendin machine hums in the corner.

Ah approach the desk. The lassie on the other side looks up fae her phone.

'Evenin,' ah say.

'Hiya,' she says, slidin her phone intae a nook next tae her computer. 'How can I help?'

'Wondered if ah could get a room fur the night?' ah ask. 'Well, it might be several nights, as it happens, but ah'll start wi wan night please.'

'Did you book in advance?'

'Naw, this is an… unexpected stay.'

'Oh, then I'm sorry, I'm afraid we're fully booked up.'

A couple comes in the front door and she waves at them ower ma shooder.

'Surely no?' ah say. 'How can that be possible? Thur's hunners ae rooms in here. And ah know yeese keep back a spare room in case somebdy important shows up, lit the Queen or James MacAvoy. Can ye check again?'

She wheels hersel in closer tae the desk and clicks her moose a few times. Her eyes dart aroond the screen. Ah huv a peek but ah cannae make heid nor tail ae it.

'Booked solid all month,' she tells me. 'It *is* nearly Christmas.'

'And thur's nae room at the… Premier Inn.' Ah take a few twentys oot ma bag and lay them on the counter. 'Sure thur's nae way ah could change yer mind?'

Her hawns jump back fae her keyboard.

'Miss,' she whispers. 'I can't say I've read every page of the staff handbook but I'm fairly sure we're not allowed to take bribes.'

'Well, obviously, naebdy's *allowed* tae take bribes. That's whit makes it a bribe. If folk wur *allowed* tae take bribes, society wid collapse.'

She crosses her arms.

'If you don't leave now, I'll need to call my manager.'

'Aw naw, we widnae want that. Ah'll jist go oot and sleep in the cauld then.'

'Okay, good.'

'See ye then, and huv a gid Christmas, ye know, in case ah *die*.'

'Thanks, same to you. Remember to book in advance next time. We look forward to welcoming you back.'

As ah leave, ah notice thur's a light smatterin ae snow startin tae fall. Ah grab wan ae the brollies that's sittin by the door.

'Ah'm takin this,' ah say back tae the lassie.

'Okay,' she says. 'Whatever makes you feel like you've won the argument.'

'Ah'm gonnae gie you such a low Trip Advisor ratin, by the way.'

Ah pull ma sleeves ower ma hawns, unfurl the brollie, and step oot intae the cauld. Ah dunno whaur ah'm goin.

22

Ah wander up and doon the streets, tryin tae get lost, but ah know them too well. Ah might huv brand new eyes, but they've seen it aw afore.

In George Square, ah sit on a bench and eat the bag ae chips ah bought at Pizza Crolla. No ma first choice ae chippy but ah wis passin by.

A pigeon wanders oot fae under ma bench, leavin tiny three-pronged fitsteps in the light snow. Ah drop a chip and it snaffles it up.

'You enjoy that, pal,' ah say, as mair pigeons get the scent and come ower. 'Jeezo, here comes the cavalry.'

Ah leave the crunchy dregs fur the pigeons and walk tae the Ark. They dae three quid pints fur students, so it's a pity ah'm no yin currently.

Inside the pub, ah find an empty table and sit wi ma pint. Ah didnae get ID'd which is handy since ah've no got any. The fitbaw's long finished so the pub's quiet and the tellys urr set on Sky Sports News, playin the same three stories on a loop.

When ye see a person sittin alone in a pub, ye cannae help but form an opinion ae them based on that. Once a wee while's passed, ye can assume thur no waitin on anybody. So whit urr they on thur ain fur? Urr they needin a cauld yin efter a long day? Desperate tae get oot the hoose? Got stood up? Or mibbe they don't care whit anybody else hinks aboot them.

Not like you then "Rose". **You** *care.* **Which** *is a real shame since no one likes having you* **around.**

But mibbe aw these folk on thur ain urr actually time travellers in the wrong body wonderin whaur tae go next. Ah go tae take ma first sip when ah overhear somebdy's conversation.

'It wis jist so weird, she wis actin lit she pure knew us.'

'But then she mentioned Daisy, and ah wis lit… right that explains it.'

Ah turn tae find whaur the voices and laughter urr comin fae. Two booths doon fae me, Frances and Sam urr sharin a plate ae nachos. Sam is takin aw the gid yins fae the top while Frances slides oot the dry yins fae the bottom. Ah duck ma heid doon so they don't see me.

'On the wan hand,' ah hear Sam say. 'Ah cannae imagine Daisy huvin other pals, cause who wid honestly pit up wi her apart fae us two. But then, that lassie the day must be her pal. And she's aff her nut which makes sense.'

'Hey,' Frances says. 'Don't be mean.'

'Fran, she's only interested in hersel. Honestly, how many times huv ye been talkin tae her and ye jist *know* she's no payin any attention tae whit ye're sayin. She's jist waitin fur ye tae shut up so *she* can start talkin.'

'Come on, how many gid nights oot huv we hud cause ae Daisy? She makes hings memorable, ye cannae deny that.'

'Fair, but how many terrible nights oot huv we hud cause ae Daisy? Huvin tae look efter her? She either makes the night or breaks it. At some point, ye've got tae wonder if she's worth the risk.'

Ah cannae listen tae anymair ae this. Ah stand up, and carry ma pint tae the next table, whaur a young guy sits by himsel. Mibbe he's a fellow time traveller.

'Here, mate,' ah say, placin the pint doon in front ae him. 'You huv that. Ah've no touched it ah swear.'

He gies me a bleary-eyed look and adjusts his cap.

'Aw that's nice,' he slurs. 'But ah dunno… ah've an early start the morra.'

'Suit yersel.'

He gestures tae his chest.

'Dick,' he says.

'Nah, ye're no that bad, pal.'

Ah leave it on the table and walk towards the exit. Part ae me wants tae turn and see Frances and Sam again, but ah resist.

*Told you **so**. They didn't **invite** you and for good reason.*

Ootside, ah look up and doon the street. That's when ah see it. Next door tae the Ark is a wee B&B, 'vacancies' sign casually rockin back and forth in the breeze. Ah've niver noticed it afore. Hus it iways been here? It's funny, even in a city ye're used tae, thur's some places ye only see when ye're *really* lookin for them. Ah mean, when huv ah ever needed a B&B in Glasgow afore?

The lights urr on inside and ah walk up the steps towards the front door.

When ah open the door, a bell rings above ma heid. The place is warm and cosy. A dark green carpet is laid on the flair, and trails through tae a landin and up a set ae stairs. Wan ae they clocks hings above the front desk, a cat that moves its eyes wan way and its tail the other as it ticks and tocks.

The wife behind the desk smiles. The glare fae her computer screen reflects on her glasses and makes it seem lit her eyes are shootin white beams.

'Evenin,' she says. 'Cauld oot there, isn't it? And ye've nae jaiket, ye'll be freezin.'

'Aye it's a bit chilly,' ah say, and go up tae the desk. 'Yer sign says ye've got vacancies?'

She disappears below the desk and pops back up wi a huge ledger book. She flips it open and the thick pages land wi a clunk.

'That we do,' she says, chewin the end ae a pencil. 'There's always vacancies at Clancy's. Ah'm Minnie Clancy.'

Ah tell her ma new name. She gies the computer next tae her a snidey look.

'Ma husband insisted on buyin the computer but ah'm no fur learnin aw that at ma age, ah'll stick wi the auld pencil and paper, thank ye very much.'

The paper makes a crisp crunch as Minnie turns the page ower.

'How many nights will ye be stayin?' she asks.

'Jist tonight, ah hope.'

'Ah see. Debit or credit caird?'

'Eh, cash, if that's okay.'

Ah bring oot ma big wad ae cash and slap doon three twenties. Minnie inspects the money ower her glasses, then looks behind me at the empty space near the door.

'Nae luggage?'

Ah smile.

'Ah'm travellin light.'

She pauses, placin the pencil doon on the book, then beckons me tae lean in. Her perfume seeps oot tae meet ma nostrils. Fruity and aromatic.

'Jist so ye know,' she whispers, usin one fing'r tae slide the money back towards me. 'Illegal activities urr *not* permitted within the hotel.'

'Oh-kay. Ah understand,' ah say, noddin and pushin the money back towards her. 'Ye know whit, let's make it two nights, jist in case.'

Ah pit doon mair notes and she hums and haws but eventually decides on a room fur me. She hawns me the key fur room 22 and ah make a sharpish exit up the stairs.

The key slides intae the lock neatly. The room hus a lot ae… character. That's whit ye say when it looks lit yer granny's back room, isn't it?

Ah strip aff and dump ma claithes in a pile. A step intae the en suite shower and realise, as the water goes greenish at my feet, that ah've been wearin the remnants ae the Venom on ma skin aw day.

Ah sling on the bathrobe that's hung on the back ae the door and it's lit wearin a big, fluffy cloud. It's embroidered wi *Clancy Bed & Breakfast 1896*. Then ah dry ma hair, nearly fallin asleep as ah stare at Rose's face in the mirror.

'Och Rose,' ah say tae the reflection. 'Whit um ah gonnae dae wi ye, hen? Ye're braw don't get me wrong, but ye'll need tae go. Mibbe we'll need tae pay a wee visit tae Steven, eh? Stop him fae kickin the bucket jist yet. Get Daisy back? Sound lit a plan?'

Ah jist hope Jill wis tellin me the truth aboot savin his life, otherwise it'll be a total waste ae ma time.

Ma hair is as dry as ah can be bothered makin it. Ah perch on the edge ae the bed. It's no much ae a view ootside, jist the random bits and bobs that urr on North Frederick Street. Ah'm sure ah could see George Square if ah really tried.

Bein in a hotel room iways makes me feel lit a tourist. It disnae matter whaur ye urr, ye could be in a city ye've lived in yer hale life, but when ye look at it through the windae ae a hotel, it's lit it's brand new again.

Wan ae ma earliest memories is bein in a hotel room on Arran wi ma mum and dad. She wanted tae go oot a walk but Liverpool wur playin Newcastle and ma dad said he needed tae watch it. Ma mum went oot hersel cause ah chose ma dad's side. We watched the game and Mum went her walk. That wis the only hing we really hud, me and ma dad. Growin up, it wis iways 'Daisy, why d'ye support Liverpool and no a Scottish team?' It wis the only hing he left me wi.

Ah lie back in bed. Steven wis as much a mystery tae me as ma real dad. Ah don't even know whit he did fur a livin. Ah don't know exactly when or how he died.

It wid be fair tae say ah've got absolutely nae clue how ah'm gonnae save him.

Part Three

In Motion

23

Ah'm woken up by the bin lorry. Glasgow's a loud city, that's ma first complaint as a tourist.

Ah stumble ma way tae the windae, nudge ma heid through the curtains and look doon ontae the lane next tae the hotel. A guy in a high-vis yellow vest hops aff the back ae the lorry and kicks two bins on tae their wheels in that way only binmen can. If ah tried that, thur'd be rubbish everywhaur.

The driver jumps oot the lorry and uses this spare time tae light up a fag.

Well whit urr the chances…

Huv ye ever seen a deid man drive a bin lorry afore? Cause Steven is stood doon there on the street alive and well and smokin a fag, even though ma mum says he's supposedly aff them. Ah used tae steal a ciggie or two fae him when he first started seein ma mum, no that he ever cottoned on.

Ah don't waste any time wi *thinking*, which usually jist slows me doon. Ah grab ma room key and heid oot intae the corridor.

Hud Steven ever telt me he wis a binman? A fleetin memory comes tae me. Me, mum and Steven sittin roond the dinner table. Me barely payin attention, no lookin at ma phone cause Mum asked me tae go through the hale meal withoot checkin it. Steven sayin he wis in *waste management.*

Two guys in grey suits block ma way as ah try and rush doon the stairs. They look back at me. Thur identical short back and sides haircuts make them look lit goons fae a Bond fulm, the kind whose hale dialogue consists ae grunts and then they get killed after six minutes.

'You take a wrong turn on the way to the shower, love?' wan ae the blokes says, tae which the other yin laughs. Then he lowers his voice. 'Get up there and make sure it's hot enough for me.'

Ah grab a handful ae his suit and turn him tae face me. He hus that look that men get. Ye know the wan. That face men get that tell ye they've went through life sayin whitever they fancy tae women and urr shocked that wan ae these women might huv the audacity tae say suhin back.

'Whit wis that, chuckles?' ah say tae him.

His jowls quiver slightly as he looks tae his pal tae save him fae this unbelievable turn ae events.

'I j-just said that you might be lost?' he manages.

'Naw, naw, kind sir,' ah say. 'Ah'm startin tae hink ah'm right whaur ah need tae be. You might've taken a wrong turn somewhaur though, since ye seem tae be stuck in the fuckin 50s. Wis is worth it then? Tae make a young lassie feel uncomfortable and unsafe? So ye could pretend tae yer pal here ye're a shagger?'

He rolls his eyes while the other guy looks at the flair.

'Aye, that's whit ah thought. Wisen up, ae? Try harder.'

Ah squeeze through the middle ae them and run through the entrance hall. As ah dae, Minnie gies me a funny look fae behind the desk.

'Ah jist,' ah tell her, 'thought ah saw Santa ootside so...'

(Tip: don't run ootside on a December mornin in Glasgow wearin jist a Clancy's B&B bathrobe, nae matter how cosy it might seem. Baltic disnae even cover it.)

The catcalls and funny stares start immediately fae the group ae folk huddled under the bus stop shelter. Ah scurry roond the side ae the B&B. The lorry is parked up in the lane and the two men urr returnin the bins. Wee jaggy staines huv embedded themsels in the bottoms ae ma feet.

Steven takes a puff, then looks doon the lane at me. When he makes eye contact wi me, it's lit thur's a shared connection. A shared understandin that this is... weird. This moment isnae possible. A shared look between a deid guy and a lassie that disnae really exist.

Steven's brow furrows and ah panic, hinkin somehow he's seen through whit ah look like tae the *real* me.

'You must be...' he starts, rushin towards me, 'flippin freezin.'

Aff comes his puffy jaiket. Afore ah can say anyhin, he's got it wrapped aroond ma shooders. He's inches fae me as he does up the zip, his cigarette breath the only hing between us.

'Ye'll catch yer death oot here,' he says. 'Whaur's yer claithes? Whit urr ye oot here fur?'

Ma teeth urr beginnin tae chatter right enough. Rose hus fillins in her teeth, ma tongue's findin thur strange, new ridges.

Steven's co-worker heads back tae the lorry.

'Thur in ma room,' ah say. 'And ah'm oot here cause…'

Come on, Daisy, ye need tae hink ae suhin quick. Ye need tae hink ae suhin that means he cannae jist walk away fae ye here. Ye need tae get his attention. Think. How dae ye get a man's attention that's no… that.

Ah grab ma side, ma hawn clutchin the robe. This is a terrible idea but it's the only wan ah've got.

'Ye hit me wi yer lorry.'

He steps back and pits his hawns up, as if provin his innocence.

'Naw ah didnae,' he says. 'Naw… naw ah didnae. Ah wid've noticed.'

'That lorry there,' ah say, pointin tae the big noise machine next tae us. 'Clipped me as it backed intae the lane.'

He looks me up and doon.

'Well, ye don't seem hurt.'

Ah grab ma side harder.

'Oh it's bad, it's really bad. Might be internal bleedin.'

'Jeezo, ah'll phone an ambulance then?'

'Ohhh well mibbe no… mibbe ah'll jist need tae ice it.'

'Ice it? Ice internal bleedin?'

'You're no a doctor, you don't know.'

He pits his hawns on his hips.

'Ah might no be a doctor but ah've seen enough Grey's Anatomy tae ken ice disnae heal internal bleedin. Noo, urr ye lyin aboot me hittin ye or whit?'

24

It's silly but ah'm committed noo. Ah jist wish ah'd hud mair time tae plan oot suhin mair convincin.

'It might jist be bruised ribs,' ah say. 'But ye definitely hit me. And… ah could sue. Aye, aye, that's gid. Ah could sue ye fur this.'

Steven gies me a nervous laugh and reaches intae the pocket ae his fleece, producin a packet ae fags and a lighter.

'Is that right?'

'Aye,' ah say. 'That's right. Noo, gimme a fag, please.'

He looks doon the lane fur his workmate but he's still inside the truck.

'Ah'll gie ye a fag… if ye stop wi this silly business.'

'Geez wan and ah'll hink aboot it.'

He offers the pack. Ah slide yin oot and he lights it for me. Noo we're jist two folk standin in an alley and ah'm no sure whit tae dae next. How dae ah save his life fae this position?

'It's a terrible habit,' he says, finally.

'And yet ye're still daein it.'

'Ma partner really hates me smokin so ah only get tae sneak a few when ah'm at work.'

Ah nod. It's a reflex, cause ah know who is partner is, of course. He lights another fur himsel and we stand in the lane beside the B&B, smokin lit two buddies, as ma knees knock thigether.

So, ye've got his attention noo, Daisy. Aw ye need tae dae noo is... stop him fae dyin next week. He's due tae huv a heart attack next Saturday night. In which case, smokin wi him is probably the last hing ah shid be daein.

'Ah'm actually jist coverin fur somebdy the day,' he tells me. 'Ah shidnae even be here. The guy, Richie, didnae show up this mornin. This isnae usually ma route. See, this is why ye don't dae favours fur folk.'

Actually, ah might huv him right whaur ah want him. He wants tae dismiss me as another Glasgow nutter but he cannae, jist in case ah'm bein serious. And if this isnae usually his route, ah'm guessin he's no aw that confident aboot his reversin skills, especially up a tight lane he's no used tae.

'Urr ye stayin here then?' he says, readin the sign. 'Clancy's?'

'Aye,' ah say. 'Jist... on ma holidays.

'You on the wind up? Ye sound like ye're local.'

'Ah jist huv one ae they accents.'

Somehow he nods and accepts this explanation.

'So, bruised ribs, eh?'

'That's whit it feels lit, aye.'

'Ah'm fairly sure ah wid've noticed if ah'd hit ye.'

'It's a big vehicle ye've got there. Ah must've been in yer blind spot.'

'Urr ye callin me a bad driver?'

'No necessarily. Ah know loads ae great drivers that hit lassies wi thur car.'

Steven laughs through his nose. The other guy in the lorry shouts fur Steven tae get a move on.

'Two minutes,' he shouts back, then turns tae me. 'Ye know, ah've got a stepdaughter jist lit you. Ye even look a bit like her.'

Here we go. The creepiest start tae a conversation ah can even imagine. In thirty seconds he'll be offerin tae show me how the truck works.

'Aye?' ah say. 'She must be suhin else.'

'Eh, aye, ah'd say she is.'

Ah feel sick. Ah wonder how many ae his drinkin buddies he's telt aboot me, aboot how he used tae catch glimpses ae me gettin oot the shower. Mibbe ah'll let the heart attack dae its work.

'But,' he goes on. 'She gets it fae her mother.'

Ah nod and exhale smoke intae the wind so it blows in his face.

'Bet yer stepdaughter's a right naughty lassie?' ah say.

He frowns and readjusts his woolly hat, makin sure the logo is right at the front. Two wee purple guys wi hockey sticks and the words *Braehead Clan*.

'Naw,' he says. 'Naw, ah widnae say that exactly. She's jist a wee bit lost at the minute, ah hink. No quite found hersel yet. She's a gid lassie, she jist disnae trust me, is aw. Her real da's no on the scene anymair, so it's understandable.'

Ah feel ready tae slap him across the face. How dare he discuss me wi any randomer. Let alone his shitey psycho evaluation ae me. Ah want tae tell him tae keep his nose oot but aw ah dae is rub ma ribs.

'But aye, ye pit me in mind ae her cause she used tae pinch a fag or two fae me afore she moved oot the hoose. She thought ah didnae notice but ah did, see. Didnae mind though. Better that she takes wan or two insteid ae buyin a full pack and endin up wi a cough like mine.'

It's mad how he's convinced himsel he's the gid guy when he's lettin a young lassie smoke and no tryin tae stop her. Ah might've been a long-distance runner if no fur him.

Efter a long, last drag on the cigarette, ah flick it at the wall. Ah can hardly stamp it oot in ma bare feet. Ma toes huv near enough frozen thigither.

'Ah need tae get back upstairs,' ah say, 'afore ah freeze ma nips aff. But ah wis hinkin, ye know, wi ma injuries and that, mibbe we shid exchange details.'

When he looks up the lane this time, it's mair lit he's makin sure naebdy's watchin us.

'Whit kind ae details?'

'Well, geez yer number in case ah need an emergency contact at the hospital.'

'Ye're goin tae the hospital?'

'Ah might.'

'Ye'd be better phonin yer parents.'

'Ah've nae family.'

'Nae family?'

'None. Look at me, ah'm chattin tae the guy that nearly killed me. Does that no suggest that ah'm… well, that ah'm…'

You're _lonely_ oh my god _you can't even_ SAY _it even when_ no one _knows it's you,_ even _when you're_ lying… _unless you're… actually lonely?_

A freezin breeze sweeps intae the alley and threatens tae blow up ma gown lit a budget Marilyn Monroe. Ah hold doon ma fluffy flaps. The other binman comes back intae the lane.

'Come on, Steven,' he shouts, in a thick London accent. 'She's not interested in you, mate.'

Ah pit ma hawn oot.

'Steven, is it?' ah say. 'Ah'm Rose.'

He peels aff a glove and shakes, his callouses rubbin against ma palm.

'Nice tae meet ye, Rose. Here, ah'll gie ye ma number, then, jist fur an emergency, mind you.'

He produces a pad fae his pocket and writes his mobile number doon, rippin aff the page and handin it tae me. Ah stuff it intae wan ae the gown's pockets.

'Only phone me if ye're really needin help, mind. And reception's no the best oot in EK so if ah don't answer, that's why.'

He gies me an awkward wave and runs back tae the

lorry. The kind ae run ye dae when ye're crossin the road and a car comes up a bit faster than ye thought it wid.

Ah sprint through reception withoot lookin tae see if Minnie's judgin ma attire. Back in the room, ah jump under the covers lit ah did when ah wis five and ma mum telt me she wis turnin aff the big light in two seconds. She niver made any threats aboot monsters comin oot tae get me in the dark, but thur wis an unspoken agreement that that's whit ah wis runnin fae.

Ah take oot the bit ae paper wi Steven's number on it. Ah'll text him the night, tell him suhin's wrong. Ah'm… coughin up blood or suhin, and… the ambulance says it's no gonnae arrive fur ages. Ah'll make him drive ower here tae get me. And then ah can message ma mum, tell her Steven's oot, visitin a young gurl at a hotel. Ah'll no answer the door tae him, he'll drive back hame, and mum'll be there waitin tae break up wi him. He'll huv tae move oot, go and stay wi a friend or suhin.

Aye, this'll cause a stooshie and a hauf. It'll change the timeline. It'll save his life. And, maist importantly, it'll let me go back hame.

25

Ah spend the rest ae the day spendin ma winnins. Ah pop tae Topshop and back so ah've got a few mair options than jist the wan jumper and pair ae leggins. Ah buy the biggest jaiket they huv. It's the only hing a regular gal lit me hus tae battle against the Scottish winter.

After some firm negotiatin wi a sandy-haired salesman, ah also pick up the cheapest pay-as-you-go phone in existence. Even though it's got nae numbers in it, it still makes me feel lit ah'm a wee bit connected tae the real world again.

Five Guys, which wid usually only be a viable option if it wis a special occasion, is ma next port ae call, fur a big old scran. Ah then wander aroond ootside, eatin ma remainin chips. People watchin is an underrated past-time. Especially folk in this city. Hauf look lit thur in a rush tae get tae suhin incredibly important, and the other hauf look lit thur headin fur their ain death and want tae go as slow as humanly possible. And it's iways the slow wans ye get stuck behind on the pavement.

Ma wander takes me tae Central Station. Superior station tae Queen Street, if ye ask me. The high ceilins and ancient architecture make me feel lit ah'm inside a livin piece ae history. Queen Street's been under refurbishment for aboot five years. It'll niver end. Even the pigeons keep their heids higher in Central.

Ah slump doon in ma huge jaiket and take up the hale bench. Two polis go by huvin a wee chat. Their hawns urr tucked tight inside thur stab vests.

'Thur so cute when they walk lit that,' ah say tae the guy on the next bench.

His heid turns tae me slowly, lit a clockwork doll. Greasy lookin black hair sneaks oot fae under his cap. Probably no the best guy tae be startin a chat wi. He hus a familiar face though.

'Whit?' he says.

'Ah wis jist sayin,' ah say, pointin at the polis, 'it's cute when the polis walk wi their hawns in their vest pockets lit that. Cause that means that at some point, when the stab vests were gettin designed, a choice wis made that they needed pockets high up fur when they're swaggerin aboot.'

A horrible sound comes fae somewhaur inside this guy's skull. He gargles a grog ae spit and snot in his mooth then lets it fly ontae the groond.

'Ah fuckin hate the polis,' he says. 'Ah fuckin hate them and ah don't hink thur cute and ah don't care if they huv pockets in their fuckin vests.'

Ah struggle tae find the words tae respond tae that.

'Fashion,' ah say. 'It's no fur everyone.'

His eyes meet mine again and ah realise whaur ah know him fae.

'Oh ma god, you're the guy that…'

'Aye?'

Ah pause. Ah know his face fae a Glasgow Live tweet. He attacked two polismen in Central Station efter he jumped the barriers withoot a ticket. They tried tae take him doon. Wan ae the staff members got mixed up in it and fell ontae the tracks in the scuffle. He hit his heid and went intae a coma. They hud CCTV ae it. And in the end, ah hud tae work the finish on the tills at work.

'Sorry,' ah say, shakin ma heid. 'Sorry, ah thought ye were someone else. Huv a gid yin.'

My coat scuffles aroond me as ah get up and walk away fae the guy. It feels lit the universe pit me here, in this moment, right afore this event, fur a reason. The same way it pit Steven in the lane by the B&B. The universe is tryin tae help me— tae keep me safe.

Ah walk so fast oot ae there ah'm nearly runnin when ah find masel at the taxi rank. Ah glance back and see the guy jumpin the barrier and the polis runnin efter.

Ah return tae room 22 at Clancy's. Ah drop ma bags and collapse on the bed, no botherin tae take aff ma jaiket. The cleaners huv been in and the sheets urr tucked tighter than a Hearts fan's wallet.

Ah stick the telly on and lie back. Ma eyes shut ower. This time travel business disnae hauf take it oot ae ye, they don't show ye that in the fulms. Ah iways wondered whit Marty McFly and the Doc did in the evenins in 1955 while they wur waitin on the clock tower gettin zapped. Ma guess is they baith went tae bed straight efter they'd hud thur tea. Separately, mind you.

Thur's a knock at ma door.

'Housekeeping,' the voice says.

Ah open wan eye.

'Ah thought ye'd awready been in?'

'Complimentary champagne.'

'Oaft, awright then, in ye come.'

The door opens and a familiar face appears.

26

'Yotta!' ah scream and jump tae ma feet. 'Aw god, ah'm glad tae see you.'

She's dressed up lit yin ae the cleaners. Her face disnae exactly break intae a glowin smile.

'Ah wish ae could say the same, Daisy,' she says. 'But ye've some explainin tae dae, lassie.'

It's startin tae get roastin in the room so ah unzip the jaiket and shrug it aff.

'Me?' ah say. 'Whit aboot you!'

'Whit aboot me?' Yotta says.

She begins pacin roond the room, inspectin every nook and cranny she can find. She runs a fing'r along the top ae the telly on the wall and checks her fing'rtip fur dust.

'You knew ah wis gonnae go back in time,' ah say. 'That night in the subway. Didn't ye?'

Yotta pits her dusty fing'r in her mooth. She swirls the taste aroond.

'Ah wis aware Daisy Douglas wis tae travel on the outer line,' she says. 'Daisy Douglas wis tae awaken in the past wi an alternative body. Aye, ah wis aware ae whit wis tae happen tae ye.'

A tremblin starts in ma chest. She knew. She knew. *She knew.*

'This wis planned?' ah say, the questions risin lit bile

in ma throat. 'Why? Who did this tae me? Wis this you? Why did ye pit me in a different body?'

Ah move towards her, tryin tae be threatenin. Yotta barely registers. She's too busy takin ma new toothbrush oot the packet and sniffin it.

'It wisnae ma decision,' she says. 'The decisions come fae much higher up, Daisy. In regards tae the body situation, obviously we couldnae huv two Daisys runnin aboot, that's jist crazy. That could huv unfortunate consequences. Noo, please let's no get aff track. That's no why ah'm here.'

'Why urr ye here?'

She goes intae the wee bathroom and turns the shower on.

'It's a shame this B&B disnae huv a lift,' she says. 'Ah don't trust the stairs. They're iways up tae suhin.'

She really needs tae work on the delivery ae her jokes. Her hair hus streaks ae black through the white.

'Did ye get yer hair dyed?' ah ask.

'Thanks fur noticin,' she replies. 'Why did ye tell yer stepda he hit ye wi the lorry?'

Ah touch ma hawn tae ma foreheid, feelin the creases and wrinkles ae the permanent frown ah'm noo wearin.

'How the fuck d'ye know that?'

'Come on, noo. Ye must be startin tae realise ah'm jist a wee bit magic.'

She turns away fae the shower, pits her hawns up and

wiggles her fing'rs lit a magician.

'So ye've been watchin me the hale time?'

'No aw the time, naw. Ah don't watch ye while ye sleep, let's pit it that way. Why did ye tell yer stepda he hit ye wi the lorry?'

'Because ah need tae save him, right? That's why ah'm back here, eh? And ah need tae make hings different, so Steven willnae die? Is that no right? Ah've no exactly been givin an instruction manual.'

The water seems tae meet wi her approval and she turns the shower back aff. Next is the toilet. She flushes and watches wi interest as the bowl refills.

'Steven knows ye're lyin,' she says. 'He knows he didnae hit ye.'

'Why'd he gie me his number then?'

''Cause mibbe—and ah'm jist throwin oot wild speculations here—mibbe he's a gid guy and he wanted tae help somebdy that wis clearly in need.'

Thur's nae such hing as gid guys and bad guys.

'Anyway,' she says. 'Yer wee plan, tae text him that ye need help, so that he rushes ower here and then ye convince yer mammy he's cheatin on her? Aye, that'll no work.'

'Bet ye it will.'

'Why did ye no try and stop the attack at Central Station the day?'

Ah slowly move ma eyes aroond the room, lookin fur

cameras in the corners.

'Cause… cause ah didnae want tae end up in a coma lit that other poor git.'

'Oh, so noo she cares about her ain welfare.'

'Whit does that mean?'

'Ah hink you know, lassie.'

Does she mean…? Nah. Nae chance. She couldnae know that. Let's get back tae the real issue here.

'Please jist be straight wi me,' ah say. 'If ah save Steven, ye'll send me back, aye?'

Yotta flicks the light on and aff.

'Ye've got a life in yer hawns, Daisy. Ye've been given a gift.'

'A gift? Ah'd call it mair ae a curse, Yotta.'

'It's a gift and ye shid treat it as such.'

We're oot the bathroom again and passin the bed. Yotta looks oot the windae and inspects it fur streaks.

'Please,' ah say. 'Jist tell me whit tae dae. How dae ah get back? How dae ah get masel back? Ah *can* get back, right? Ah'm no stuck here forever lit Jill um ah?'

'This Jill,' she says. 'She's no wan ae mine. Ah'm new, remember. Ah'll look intae that though. And aye, ye can get back. Jill's given ye some decent advice. If ye're needin mair guidance, ah wid advise makin the maist ae the opportunity ye've been given.'

'Is that it? Is that seriously aw ye're gonnae tell me?'

'Mibbe get tae know Steven while ye're at it. Life savin

isnae an easy business, and it's even harder when ye barely know the person ye're tryin tae save. Gid luck.'

Ah nearly laugh in her face.

'Ah'm no lettin ye oot ma sight,' ah say. 'Ah'm goin whaurever you're goin.'

Thur's a breeze through the room, even though thur's nae windaes open. The notepad by the bed flaps and a few pages fly aff and circle roond the room. Yotta smiles at me. Then she disappears right afore ma eyes. Wan minute she's there, the next gone. Ah swipe ma hawn whaur she wis jist a second ago. The air's warm.

No huvin Sky in the hotel room is a killer. Basic channels urr slim pickins, but ah manage tae find a couple ae *Red Dwarf*s on Dave

Ah replay the meetin wi Yotta in ma mind. She said ah've got tae save Steven. At least ah know that Jill wis tellin me the truth.

Yotta disnae hink Steven'll turn up but she clearly disnae know men lit ah dae. A lassie hauf his age chatted him up and he gave her his number. It disnae take a genius tae know why, and it wisnae cause he's a *"gid guy"*.

It's hauf eight. Ah sent the text an oor ago.

Steven, it's Rose, from the B&B. i know u said only to text

if it was an emergency but it is . I phoned 999 but they said its gonnae be an hour before they get here. Can u plsss pls pls plssss come and pick me up and take me to the hospital, i'll never contact u again after??

Red Dwarf finishes and *QI* starts. Thur's a knock at the door. Ah mute the telly and get tae ma feet. Ma tiptoes don't make a sound as ah cross the carpet tae the door.

Ah breathe silently through ma nose. Ah didnae hink ah wid be this nervous. A heavy knock comes again. Ma heart bangs suhin fierce inside ma chest. Ah jist need tae stay quiet fur a wee bit longer and he'll leave.

Another thump.

'Hello?' comes the deep voice fae the other side.

He's no takin the hint. Ah pit ma brave girl pants on and move closer tae the door.

'Sorry,' ah shout. 'Sorry, ah've changed ma mind. Ye're a strange man and ah'm sorry ah invited ye ower here. Ah want ye tae leave.'

Whit feels lit a full minute goes by in silence. Then the knockin comes back louder than afore. It's no stoppin. The deep voice speaks again.

'Open this door right now.'

Then ah realise. It's no Steven's voice.

27

Ma hawns fumble wi ma robe, clutchin it tight thigether, even though ah've got claithes on underneath this time.

'Jist a second!'

Ah close wan eye and stick the other up tae the peephole. A man in a blue cardigan, shirt and tie creased below it, stands wi his hawns on his hips, lookin fumin. Minnie is next tae him. Thur faces urr distorted and swollen in the glass.

Ah open the door and greet them wi a polite smile.

'Gid evenin,' ah say. 'Nae room service fur me, thank you though.'

Ma attempt tae close the door ower is stopped by the man's meaty black shoe, wedgin it open.

'It's no aboot that, miss,' he says.

'Ah'm sorted fur towels as well,' ah reply, pressin ma full weight intae the door. Rose's full weight, ah suppose.

'Please,' he says, overpowerin me and re-adjustin his tie, the door noo fully open. 'Ma name is John Clancy and masel and ma wife, Minnie here, own this establishment.'

'Nice tae meet ye, John,' ah say. 'And whit a fine establishment it is. Could be daein wi a few mair channels on the telly though. Or better yet, Netflix? Ah dunno if ye want tae jot that doon.'

Minnie rolls her eyes.

'That's her, John,' she says. 'She's the one.'

Minnie gies me wan last snidey look then makes aff doon the corridor, stoppin briefly tae adjust a light fixture at a crooked angle on the wall.

'Ah'm the one?' ah ask.

'Miss, ah'm afraid ah'm gonnae huv tae ask ye tae check oot early.'

'How?'

'We cannae allow ye tae engage in illegal activities within the walls ae the B&B.'

'Whit?! Whit illegal activities?'

'Please, miss, don't make this harder than it needs tae be.'

'Nut, ah'm no huvin this. Ah don't even know whit ye're on aboot.'

This triggers him tae sharply dive a hawn intae his pocket and produce a notepad wi inky, messy writin on it. He clears his throat.

'Ye checked in late last night and paid in cash. Ye hud nae luggage. We checked the address ye gave and it's no under your name. Ye wur witnessed runnin aboot the hotel this mornin in only a dressin gown. Ye argued wi wan ae oor frequent stayers on the stairs. Ye wur seen solicitin a phone number fae a binman in the lane ootside.'

He stops, folds the paper up and places it back intae his pocket.

'Oh,' he says. 'And when ah knocked on the door jist then, ye thought ah wis a strange man that ye'd invited over.'

Thur's aroond thirty seconds ae silence while ah take in this information and process it. A scrapin noise fae across the hall lets me know whoever's stayin in room 23 is huvin a gid swatch at the unfoldin drama.

'Is thur *any way* ah could change yer mind?' ah suggest.

John looks taken aback. The thin, light hairs at the very edge ae his moustache quiver.

'No lit that!' ah say. 'Ah jist meant bribin ye wi cash. Jist a nice, traditional, cash-based bribe, that's aw.'

'Miss,' he says, flustered. 'Ah really hink it wid be best fur everyone if ye packed up yer hings and left.'

'B-but, whit if ah huv naewhaur else tae go?'

'It's Glasgow, miss, thur's iways places fur folk lit *you* tae go.'

Folk **like you. He's seen** the real you.

Ah try tae close the door on him again but his foot holds strong. He watches me as ah pack up ma small, sad collection ae hings ah bought earlier in toon. They aw jist aboot squeeze intae ma crumpled broon Topshop bag wi the dodgy handles.

'Ah'm keepin the gown,' ah say, and flick wan ae the belt ropes at him.

'Ye're welcome tae it.'

The smell ae the B&B, fresh white sheets and auld peelin wallpaper, fills ma nostrils fur the last time as ah walk towards the stairs. The crazy-patterned carpet seems tae be alive and swirls under ma feet, makin me feel lit ah'm high on suhin.

'This isnae the end ae this,' ah shout back doon the corridor at John.

He's still standin ootside room 22, waitin fur me tae be oot ae sight.

'Ah hink it is,' he answers.

'Jist you wait and see the Trip Advisor review ye get.'

'We're no on Trip Advisor.'

'Well...ah'll get ma mum tae dae a Facebook post. And then ye'll see.'

As ah go doon the stairs, ah consider that Steven might still turn up lookin fur me.

*He **ignored** your message. He isn't coming because he saw **what you're** really like. You can't **hide** behind a different face. It doesn't matter what face you've got, underneath you're **always** the same.*

Looks like ah need some new digs.

28

Ah'm sick ae the sight ae the subway. How dae folk ride it tae work in the mornin? Then ride it hame eight oors later? Then dae it four mair times a week, every week, fur however long they can stand thur office job? That'll niver be ma life.

The Buchanan Street station is quiet at this time ae night at least, and the guy at the counter isnae the same yin as yesterday, luckily.

'Evenin,' the cheery man says.

'Hullo,' ah say. 'Is Jill workin the night?'

'Eh,' he says, 'let me check.'

He wheels himsel back fae the desk and shouts tae another unseen staff member lit the other fella did.

'Viccy,' he shouts. 'Is Jill still here?'

'Naw, Eddie. Finished at nine,' the unseen voice calls back.

Eddie pulls himsel back tae the counter. He adjusts his specs up his nose.

'Finished at nine, sorry,' he says. 'She a friend ae yours?'

'She's ma… sister, actually,' ah say, wingin it. 'Aye, Jill's ma sister. Big sister Jill, ah call her.'

'That right, aye? Didnae ken she hud a sister.'

'Well, we used tae no get on… but we buried the hatchet last week. Anyway, ah need tae see her. Dae ye huv her address?'

In whit seems lit a miracle, he starts lookin up her details on the computer. Suhin's finally easy fur me. He huffs and puffs as he clicks through folders.

'Wait,' he says. 'Why dae ye need tae see her?'

'Because,' ah say, crossin ma fing'rs, 'oor gran died.'

'Aw, ah'm sorry tae hear that, hen. That's no really an emergency, though, is it.'

'How no?'

'Well, she's deid noo. If she'd been *dyin*, well that might huv been different.'

'But… that's no the emergency.'

'Whit is then?'

'Oor gran wis *murdered*. And the murderer left a note on her body sayin Jill wis next. So… ah'll huv that address noo please, so ah will.'

Eddie's laughter rings oot behind me as ah leave the counter empty handed. Ah go through the barriers wi Jill's caird.

Ah'll find a pub in the west end that's open late. Ah'll sit in the corner til 3 o'clock and take it fae there.

'Yotta,' ah whisper tae masel. 'Ah might need a hawn fae ye soon, if ye're no too busy.'

Then ah look at Jill's staff caird again. Her details urr on it. Her hame address.

Jill's flat is in a block right behind the Co-op on Great Western Road. Ah looked it up on ma new phone, probably usin up hauf the data jist tae start up Google Maps.

Ah get aff at Kelvinbridge. On the bridge, a rough sleeper sits in the freezin cauld wi his cardboard sign which looks ready tae snap in hauf.

Ah take a twenty-pound note fae ma new Topshop purse and crouch doon in front ae him. The money is nearly in his cup.

'Whit urr ye gonnae spend this on?' ah ask.

His hawn quivers, the cup jitterin between us.

'Urr ye gonnae take it back if ah don't say the right hing?' he says.

'Mibbe. Ye shid buy food wi this.'

'Oh aye. Thur's nuhin stoppin ye fae goin intae the Co-op and buyin me food, hen.'

'Touché.'

Ah smile and drop the money in the cup.

'Thanks,' he says. 'Huv a gid night.'

Great Western Road is a dark vein at this time ae night, takin folk fae the west end tae the heart ae the city or other way aboot. Folk walk by wi clinkin carrier bags and warm, smelly pizza boxes. Below the bridge, the walkway ootside Inn Deep is lit wi tiny white fairy lights and darkened by the shadows ae drinkers bravin the winter cauld. Below them, the freezin, chokin, invitin slosh ae the Kelvin rushes by. Naebdy wid notice a person caught in that current.

Ah cross the road. Jist roond the corner fae the Co-op is the gate ae the apartment block. A lone pigeon bops aroond peckin at the dirty groond.

It's hard tae see the buttons and thur labels in the dark. Ah press the wan ah hink is hers. Thur's twenty or so seconds ae silence then:

'Hullo?'

'Why hullo, Jill,' ah say. 'Guess who!'

Somehow ah can hear the eye roll through the intercom. Fortunately, it's followed by a sharp buzz tae open the gate.

'Second door on the right, second flair.'

The close is clean and the carpet is free ae stains. Thur's even wee floo'rpots ootside each ae the first flair doors. The rent must be a pretty penny fur these flats.

Jill's standin at her front door when ah reach her flair.

'Hullo again,' ah say, ma voice a soft, intimate echo, and ah'm jist a tiny bit oot ae breath fae the stairs. 'Ah've re-evaluated yer proposal, and ah've decided that, aye, ah'll take ye up on that offer ae stayin wi ye.'

She looks unimpressed and stays leant against the door frame, no leavin me enough room tae slip in. Unlike her, the flat looks cosy and invitin. Dark red walls, healthy plants on the landin, and heat fae the radiator seepin oot.

Jill's fluffy kitten socks creep ower the widden divider on the groond.

'Whaur did ye stay last night?' she says. 'Ah phoned aroond the shelters.'

'A wee B&B that ah wid *not* recommend,' ah admit. 'Ah hud a win on the fitbaw.'

'Clever,' she says. 'Ah bet ye hud a sure hing.'

'Sure hing, that wis ma nickname in high school.'

She disnae know whit ah wis like in high school. Ah could've been a sure hing. Truth is, ah wis the opposite, but she disnae need tae know that.

'Why urr ye here noo?'

'The B&B thought ah wis... well, they thought ah wisnae gid enough fur them.'

She smiles and moves oot ae the way.

'Sorry ah pushed ye,' she says.

'Water under the bridge,' ah say. 'Bridge over troubled water, etcetera. Us time travellers need tae stick thigether.'

Ah drop ma Topshop bag in the hall and Jill pits ma puffy jaiket ower a coatstand.

'Nice bathrobe,' she says. 'They let ye keep it?'

'*Let* is a strong word,' ah reply. 'Let's say: accepted it as a write aff.'

Quickly scannin the flat, it looks tae be jist the wan bedroom and ah don't see any men's shoes or jaikets anywhaur. Some tension leaves ma shooders.

We move intae the livin room. Ah curl up intae a baw

on the couch. The nearby radiator oozes warmth. A mini silver Christmas tree lounges in the corner. The telly's on.

'Aw, ah love *Peep Show*,' ah say. 'Ye don't mind if ah jist rest ma eyes a minute here?'

Jill goes aroond the room tidyin, foldin back up an ironin board and closin the blinds.

'Ye can sleep noo,' she says. 'But that's two days ye've wasted. And if ye don't save him, yer auld life is gone fur gid. And then ye'll be stuck here lit me. And yer mum'll huv tae deal wi her daughter goin missin and niver comin hame again.'

Ma eyes urr awready closed but ah'm listenin. Ah don't point oot that Jill niver got hame again and it wisnae the end ae the world fur her. She got a job and a flat and enough money tae keep the heatin on full blast in the winter. But if ah brought that up, she'd start up again aboot how hard it wis tae make a new life and aw 'the hings she hud tae dae' and 'the people she hud tae get in wi'. Yawn.

'Ah've met ma stepda awready,' ah say. 'Ah hink ye wur right, ah need tae save him.'

Jill stops movin aroond the room. Ah sense her lingerin nearby. Ah open an eye and see her standin ower me. She drops a duvet and a pillow ontae me.

'And?'

'Ah tried tae change the timeline. So ma mum wid

dump him and he'd huv tae leave Glasgow.'

'Did it work?'

'That's a negatory, Jill. Turns oot Steven hus less ae a heart than ah thought he did. Ah mean, ah'm a wounded young lassie wi naebdy tae turn tae, and he ignores ma text? Ah might need tae save his life but ah'm no gonna be happy aboot it.'

Jill pits the telly aff and clacks the remote doon on the table. She blows oot a candle and a tiny plume ae smoke shimmies fae the wick.

'We can decide on a plan of action the morra,' she says. 'Jist stay in the flat while ah'm at work and try no tae break anyhin. Ah'll be back aboot four and then we can talk.'

'Mmm,' ah say, 'plan of action. Talkin. Aye. Talkin's ma favourite.'

Jill turns the light aff and closes the door ower. Ah hink aboot askin her fur a glass ae water but ah decide no tae push ma luck.

She got sent back tae save her friend Freddie but she couldnae dae it. Her pal died and she got stuck here forever. She failed.

Ah wonder whit happened. Ah wonder whit she tried tae dae tae stop it. Ah wonder if she'll suggest the same hings tae save Steven. Surely it cannae be that hard tae save a life?

29

A loud bang. Ah sit up on the couch. It's light ootside. The livin room smells ae vanilla mixed wi the light stink ae ma B.O.

Ah make ma way slowly tae the windae. Doon on Great Western Road, a Co-op lorry's arrived tae make its delivery. The driver's unloadin cages full ae food on tae the pavement, the metal rattlin wi every roll ae the wheels.

Jill's left oot cereal and coffee supplies on the counter fur me. The kitchen hus a black and red colour scheme which makes it seem lit nighttime even when the light's on. A pile ae Domino's, Pizza Hut, and Papa John flyers stick oot the top ae her recyclin box. Thur's nae milk so ah make a black coffee and go back tae the couch.

As ah place ma mug doon, ah see Jill's left me a handwritten note on the table. Ah must've been oot fur the count when she left it this mornin. Ah can usually sleep through anyhin, which made sleepovers in primary school quite a tense experience fur me.

The note reads:

Morning Daisy/Rose/Whatever it might have changed to in the last 48 hours,

To recap: we have a set amount of days before your stepdad dies. I don't think you told me exactly when it happens? It's two weeks to the funeral I think? So we have less than a week til it happens right?

If we can stop it, you'll get your old face back, your old body back, your old life back. Back to being Daisy.

In my opinion, the best way to stop him dying is to befriend him. That means you have an excuse to be around him, and can be right by his side when he's supposed to die. You can step in, phone an ambulance, get him help a lot faster etc.

I've come up with these questions. Have a think and we can discuss them later:

1. *How did your stepdad die and how can you stop it?*
2. *Where and when did your stepdad die? Can you be there when it happens?*
3. *How will you befriend him? Does he have any hobbies you could join him in? Any similar interests with him?*

Help yourself to anything in the fridge, and <u>please</u> feel free to use the shower. (Turn the shower dial to eight for about a minute to start, then turn it back to four for another minute, then back to around six before you get in. Trust me. But don't use too much of my Bed Head conditioner please.)

See you soon,

Jill

She's basically given me homework. Fantastic. When did she even huv the time tae write this? Must've been up late last night, the big swot.

Ah stick *Frasier* on and nestle back intae ma duvet on the couch. It only feels right watchin *Frasier* in the mornin. Watchin it at night wid feel unnatural.

Ah try and hink ae answers tae Jill's time travellin questionnaire. But it's jist so comfy on this couch, ah cannae concentrate and soon ah feel masel droppin aff.

The front door slams. Ah dig ma heid oot fae under the cover.

'Hullo,' ah manage.

Jill comes intae the livin room and slumps intae the chair by the windae. She pulls her woolly hat aff and gies her hair a quick rustle and flatten wi her hawns.

'Efternoon,' she says. 'Whit a day, ah'll tell ye. Smart Cards stopped workin fur aboot four oors so we hud tae issue free tickets fur hunners ae folk. And it's no lit they thanked ye fur it. How wis your day?'

'No bad. Ah hud *Frasier* til eleven, then *Undercover Boss*, then *Ramsay's Kitchen Nightmares*, then *Jingle All the Way* was on STV, and then—'

'Did ye answer the questions ah left?'

Oor eyes baith dart tae the page Jill left on the table

this mornin. It's untouched ink-wise, the pen she left sittin neatly by the paper wi its lid firmly on.

'In ma heid, aye,' ah say. 'Pen and paper's a bit auld fashioned fur me. In fact ah don't even know if Rose *can* read or write. Ah might need tae learn hings aw ower again.'

Jill looks doon at her lap and takes a deep breath, lit a teacher who's found a pupil wi a mooth full ae papier-mâché . She loosens her tie and takes it aff.

'Oh-kay,' she says. 'Let's go through them. Number one, how did yer stepda die and how can ye stop it?'

Ah pit ma hawn tae ma mooth as ah hink. Ah get a gid whiff ae the tangerine moisturiser that ah pinched fae Jill's bathroom cabinet and rubbed intae ma dry hawns. Ah used her floss as well, which seems a bit pointless noo since ah don't plan on visitin the dentist while ah'm in this body. Unless it's a "if Rose loses a tooth, Daisy loses a tooth" type situation. Ah'll need tae mind and ask Yotta if she ever re-appears.

'The message ma mum left me said thur'd been trouble at the pub,' ah say. 'Ah hink that's right, at least. And he hud a heart attack. Ah dunno if he wis fightin, or tryin tae break up a fight, or whit.'

'Right, we can work wi that. Which pub?'

Ah shrug. Ah try and convey in ma facial expression that it's a 'ah'm sorry ah don't know' shrug rather than a 'ah don't care' shrug.

You could just **say it.** *Just say that* **you care. Oh no that would be** **too hard** *for* **big bad Daisy.**

'Okay,' she says again. 'Well, potentially a pub fight. That's gid, actually.'

'Is it?'

'Compared tae some sort ae brain haemorrhage, it is. It needs tae be suhin ye can stop. Stoppin a heart attack's near impossible, we're no miracle workers, but stoppin the event that kick starts the heart attack, that's mair doable.'

Jill kicks aff her shoes and takes a can ae Coke oot her bag. Ah wonder if aw her tastes transferred ower when she went fae Elouise tae Jill. Mibbe she used tae be a Pepsi gal. Ah wid ask her but ah'm fairly sure it's a stupit question.

'Ye'll need tae make sure ye're at this pub afore the trouble happens and get him away fae it. Whitever it is, whether he started it or whether he got caught up in it. Ye keep him away fae the fight, he'll no get aw stressed and he'll no huv a heart attack.'

Ah look doon at Rose's body. Unfortunately, regardless ae whit strength Jill seems tae hink ah've got, ah wisnae blessed wi the body ae Dwayne 'the Rock' Johnson when ah got sent back. Ah wonder if ah'd asked Yotta nicely, whether she'd huv let me change tae a body ae ma ain choosin. Some combination ae Christina Hendricks and Drax fae *Guardians of the Galaxy*.

'Aye,' ah say. 'Ah'll jist stop a bar full ae big bruisers fightin, that'll work. Easy peasy.'

'Ah'm no sayin start throwin punches, Rose. Jist dae whitever ye can tae stop it. If you and Steven urr pals by that point, which we're hopin ye will be, ye can mibbe talk him oot ae goin tae the pub awthigether.'

Ah stand up and move tae the ornamental fireplace, which is draped wi colourful fairy lights, currently turned aff. The mirror above the mantelpiece shows me a bedraggled lookin Rose. Ah don't mind her nose, as it happens. Ah'd take her nose back wi me. But that's it.

'On the subject ae bein pals wi him,' Jill says. 'Whit does he like? Whit's he intae?'

Ah flick the fairy light bulbs wi ma fing'r. Green and red and pink and yella and purple.

Ma mind plays ower the year or so Steven used tae visit the hoose afore ah moved oot. Ah ignored him whaur possible, takin pride in the fact ah didnae know anyhin aboot him. Ah managed no tae know he wis a binman so ah hink ah did a pretty gid job.

One time, ah'd come in fae school and Mum hud shouted me intae the livin room afore ah could escape tae ma room. Her and Steven wur watchin wan ae thur programmes, aw angry lookin folk in suits in offices, slammin their hawns on the desks every noo and again.

'Your uni letter is in the kitchen,' Mum said.

Ah mind bein annoyed. She could've jist left it on

the stairs lit aw ma other post. It was ma acceptance tae Strathy. Ah went oot that night and got steamin on Strawberry and Lime Dragon Soop and hud tae stay on Hannah McBride's big sister's livin room flair cause ah couldnae walk and ah couldnae go hame in that state.

Ah picture the pair ae them on the couch as ah passed Mum the letter efter ah'd opened it.

'Ah got in,' ah said.

'Magic,' Steven said. 'Pure magic, Daisy.'

He wis wearin an oversized top. Too big tae be a fitbaw top. It wis purple.

'Ice hockey,' ah say, comin back tae the reality ae Jill's flat and ma strange reflection in the mirror. 'Steven loved the ice hockey.'

30

In a lucky turn ae fate, thur's a game tonight. Braehead Clan vs Sheffield Steelers. It feels lit ah've been gettin lucky, stumblin fae wan coincidence tae the next, but on the other hawn, ah've been sent back in time in the wrong body so ah reckon ah'm still in the red and Yotta's definitely due whit's comin tae her once this is aw ower.

Jill brings up the Clan site on her laptop and thur's still tickets left so it looks lit ah'm aff tae ma first game. She hus a plan and a better phone voice than me so ah let her take the wheel on the plannin stages. She phones the box office.

'Hi there,' she says doon the phone. 'I'll tell you what it is, I'm looking to book a ticket for the ice hockey tonight…

'…yes but I'm looking for a particular seat, you see…

'…it's my dad, it's his birthday today and I've never been able to go to a game with him, so I was hoping you could give me the seat next to him, his name's Steven McDaid…

'…yes, but I'm sure you could find him if you tried…

'…yes, but I'm sure you could make an exception…

'…yes, but it's quite a special occasion, it's his fiftieth birthday…

'…okay, yes, I understand. I'll just take a standard ticket then. Yes, that sounds fine…'

A minute or two later, efter she's went through her caird details, she hings up the phone.

'Guess whit?' she says.

'The plan went perfectly and ye booked the seat right next tae Steven?'

'Em, no,' she says. 'Apparently thur no allowed tae dae that. But ye've got a ticket, which is the main hing. We'll jist need tae hope ye can catch him at the snack counter or suhin.'

'Did ye no get a ticket fur yersel?'

'Naw, it's no ma cup ae tea. Ah'll sit in the car and listen tae wan ae ma audiobooks. Better get yersel a shower, game kicks aff soon.'

Jill parks her Fiat 500 ootside the Braehead Shopping Centre. Despite the bad press, it's a crackin wee motor. Ma hawns are toasty fae lyin them on the heater the hale way here. Back at the flat, Jill found an auld purple beanie ae hers and it sits snug ower ma ears.

'Sure ye don't want tae join me?' ah say. 'Burly bearded men skatin aboot and bashin the crap oot ae each other? And ah hink, if thur's time, they try and score goals as well.'

Jill pulls oot her flask, the wan she shared wi me when she found me ootside the subway, and a hot water bottle she filled afore we left. Then she reaches intae her pocket and takes oot a balaclava and slides it ower her face. Thur's an improvised hole in the back fur her ponytail tae pop through.

'Naw thanks,' she says. 'Ah'm fine jist here. Ah don't like sports.'

Ah'm strugglin tae find the words.

'Ye cannae wear that.'

'How no? Ma face gets freezin.'

She turns tae face me. Ah suddenly huv the urge tae lie on the groond and no be a hero.

'Cause folk'll hink ye're gonnae blow the place up. Ye look lit Miss July in the *Terrorists You Have Guilty Crushes On* 2018 calendar.'

She sighs and takes the balaclava aff. Folk urr floodin by the car, aw dressed in various shades ae purple, black and white.

'Ah bought it at a sports shop,' she says. 'It's no illegal tae wear them. They've jist got a bad reputation. Oh, take these.'

She unbuckles and stretches intae the back seat, returnin wi a set ae binoculars.

'Here, so ye can spot Steven in the crowd.'

Ah take them, the weight surprisin me as ah hing them aroond ma neck.

'Anyone ever tell ye, Jill,' ah say. 'That ye keep some amount ae dodgy stuff in yer car?'

Ah cannae mind a caulder night than this. Jill's loaned me thick knee-length socks and a pair ae her ex-boyfriend's Under Armour leggins so ah'm at least partially prepared.

Ah slip intae the stream ae hockey fans. Thur's a lot ae families in the crowd, wee kids runnin ahead ae thur parents or laggin behind. It's a mair happy atmosphere than any fitbaw ah've ever been tae. The replica tops urr everywhaur, covered in sponsors and slogans. A wee gurl carries a fluffy highland coo wearin a Braehead Clan top.

We flock inside the shoppin centre, fur a heat if nuhin else, whaur we're soon diluted by the Christmas shoppers.

Thur's tinsel and fake snow and a Christmas train daein laps wi nervous lookin children on board. Groups ae lads and lassies, too young and potless tae buy anyhin significant, urr wanderin aboot wi McDonald's cups. Thur's bright white light everywhaur, beamin oot fae the ceilin, fae shop windaes, fae Christmas lights stapled in strips on escalators.

It's well busier than ah thought it'd be. Ah'm wan ae hunners ae folk funnelin intae the far corner, whaur the entrance tae the rink is. Fair play tae them fur comin oot on a freezin Wednesday night in December.

Ah approach the back ae the queue tae get in.

'Chuck-a-puck!' a guy behind a table shouts. 'Get yer pucks fur Chuck-a-puck here!'

It's a five-minute wait in the queue til the wee lady behind the glass prints ma ticket and slides it under the windae.

'Enjoy the game,' she says.

A guy scans ma ticket wi a delayed beep and that's me in. Women in fancy dress shake yella buckets, collectin fur charity. Ah slide a note intae the bucket and rush away afore they can slap a sticker on ma chest. Ah pass a bar, then realise ye can buy booze at the hockey.

As ma pints urr bein poured, ah scan aroond the foyer. Wee kids go by wi hot dogs longer than their arms. Sadly, nae sign ae Steven yet.

The players urr still on the ice warmin up when ah go in, smackin pucks at the goal, maist ae which miss and crack intae the protective glass behind the nets.

Ma seat's E8, Block C. A picture book family—wi mum, dad, son, and daughter—get up tae let me past. Ah'm careful tae avoid the assorted drinks and snacks and jaikets that urr laid on the grey concrete at thur feet as ah shimmy past.

Announcements urr made ower the tannoy.

For your own safety, please keep your eyes on the puck at all times.

The players leave the ice and head back tae the changin room. Thur's at least a couple ae thousand folk in here, a wee buzz ae excitement is startin tae get louder. And it's no cauld lit ah'd thought it'd be.

As the child mascots and competition winners urr brought oot ontae the ice, ah take the binoculars oot tae dae a sweep ae the crowd. Afore ah can get a look at anyone, the lights go oot, leavin us in total darkness.

31

Purple lights blink intae life in the crowd. An epic classical piece ae music is soon replaced by *The Joker and the Thief* by Wolfmother and the players skate oot ontae the ice. They get announced wan by wan as they skate aroond the spotlights.

'*Number four*,' blares the announcer. '*Landon… OSLANSKI!*'

The crowd cheers and whoops. Another five minutes ae announcements and cheerleaders and referees checkin the ice is awright, then the game gets started.

Get intae thum
Get intae thum
Get intae thum

The crowd chants right fae the beginnin. The noisiest fans sit in the top right corner wi a drum. The Sheffield fans sit in the top left, makin a decent noise themsels.

If you had *friends*, you could come here with them. Frances and Sam would say *no*, and you know it. If you had *family*, you could come here, but *you* don't.

Ah can barely keep up wi whaur the puck is. Thur's a buzz and the Sheffield fans celebrate. The Clan urr one nil doon. Ah didnae even see it hit the net. The home fans look gutted but also lit thur used tae it.

Ah lean intae the wee gurl next tae me.

'Urr Sheffield above Braehead in the league?'

She nods.

'They'll go second if they win,' she tells me. 'We're in the bottom four.'

'Ah see, so ye hink we'll get beat?'

She shakes her heid.

'Nae chance. We jist need tae GET INTAE THUM.'

She clenches her fists so tight her knuckles look lit tiny cue baws under her skin. Her parents smile wi pride, lit *aye, she's oors.*

'Sounds lit you shid be oot there,' ah tell her.

'Ah want tae play when ah'm aulder,' she replies. 'But Alistair Matheson in ma year says ah skate like a gurl.'

Jesus, man, cannae escape the patriarchy fur wan bastartin minute. Ah lean in closer tae her.

'Let me tell you suhin,' ah say. 'Whit's yer name?'

'Arya.'

'Arya, course it is. Listen up, Arya. If ah can dole oot jist wan piece ae advice here, it's that daein suhin "like a gurl" is *not* a bad hing. Ye hear? Let me ask ye this, wid ye rather skate lit a boy?'

We lock eyes and she looks disgusted at the thought.

'Absolutely, one hundred percent not,' she says.

'Well, there ye go. Daein stuff like a gurl is the only way hings get done these days.'

The crowd cheers at some poor geezer gettin smashed intae the plexiglass. Ah lift the binoculars back tae ma eyes and scan the crowd.

'Whit urr ye lookin fur?' Arya asks me.

'A friend ae mine,' ah say, continuin tae scan.

'Why urr ye no sittin next tae them if they're yer friend?'

'They don't know thur ma friend yet.'

Arya laughs and pulls her brother's sleeve so he can listen as well.

'Wesley,' she says. 'Look at the woman, she's got binoculars.'

Ah nearly glance behind me tae see this "woman" the gurl's talkin aboot afore ah realise it's me. Ah'm the woman. Ah don't look that auld surely. It must be this face ae Rose's. That must be it. She widnae huv said that aboot Daisy. Ah'm no "the woman" yet.

'Can ah huv a go?' the brother asks.

Ah'm workin oot a polite way ae tellin him naw, then ah spot Steven in the crowd. He's on the opposite side ae the arena fae me, no far fae the drummer. He's laughin and chattin away tae the guy on his right.

'Listen, ah cannae gie ye the binoculars,' ah say tae the kids. 'That's me spotted ma pal so ah need tae go. Here, fur bein decent company.'

Ah slip a tenner intae Arya's tiny hawn. She uses baith hawns tae stretch it oot above her in the light.

'Jist tae check,' she says. 'Ye get a lot ae fakes these days.'

As ah'm makin ma way roond the stadium, the Clan score and the place erupts. A siren blasts and a song comes on and everybody claps along.

'*Clan goal,*' the announcer lets us know. '*Scored by number 10, Tyler...*'

'Scofield!' the crowd reply.

'*Tyler!*'

'Scofield!'

The first period comes tae an end as ah'm walkin between sections. Folk flood oot tae the bar and the loos and slow ma progress.

Across the ice, ah see Steven and his friend gettin up and leavin fur the foyer. Ah go the other way roond the arena and approach thur seats. The two women in the seats next tae Steven's look up at me.

'Hiya,' ah say.

They baith stand up tae let me pass.

'Cheers,' ah say. 'But, see, whit it is, that guy that's jist away, he's ma stepda.'

They gie each other a funny look.

'And?' wan ae them says.

'And ah wis really hopin tae sit next tae him, as a surprise. He disnae know ah'm comin.'

'Ye want us tae move seats?'

Ah take oot ma crumpled ticket and gie it tae the closest girl.

'Block C, E8. The seat next tae it is free. And thur's a really lovely family on the other side ae me.'

The gurl on the left turns tae her pal. Ah can sense they don't want any trouble.

'Will we jist move?'

The gurl on the right turns tae me. She raises her left hawn and starts rubbin her fing'rs thigether, while she clears her throat. The friend looks embarrassed.

'Itchy fingers ye've got there?' ah ask. 'And a sair throat? Ye'll need tae get tae the doctors.'

'Ah've been tae the doctors,' she says, droppin baith the hawn and the cough. 'Ma prescription's twenty quid.'

Ah pull a twenty fae ma pocket and hawn it tae her. She takes it smugly and the pair ae them hop doon the stairs and aff tae thur new seats. This hockey business is mair expensive than ah thought. Ah take ma seat and wait fur Steven tae return.

Ah end up transfixed watchin the ice cleaner hing daien laps. It leaves behind a wet trail as it goes. It finishes aff the last strip ae unclean ice and ah've niver seen suhin so satisfyin.

The spell's broken when somebdy appears at ma side.

'Sorry,' he says. 'Can ah squeeze past?'

32

Steven and his pal stand ower me. Ah get up and suck in ma gut tae let them in tae thur seats. Steven smiles and gies a nod in thanks then double takes. We aw sit doon. He stares straight aheid lit he's tryin tae ignore ah exist.

'Steven?' ah say, pointin at him, pretendin ah'm no quite sure.

He nods and looks even mair nervous.

'Rose,' ah say, pittin a hawn tae ma chest. 'This is a weird coincidence.'

'Aye,' he says. 'Coincidence.'

He then turns tae his pal and immediately engages in a deep, whispered conversation that ah'm sure isnae aboot me at aw. Ah wait patiently as the players come back ontae the ice and Wolfmother plays again. It's wan aw, but thur's an atmosphere in the place that they expect tae get beat. Except for wee Arya.

Play restarts.

'Listen,' ah say, leanin in tae Steven. 'Ah'm sorry aboot the other day. Ah don't know whit tae say, ah was… no masel. Obviously ye didnae hit me wi the lorry. Sorry.'

He studies ma face, judgin me, swirlin aroond the chuggy in his mooth fur a few seconds.

'…and ye're no gonnae sue me?' he asks.

'Naw.'

'And ye're no stalkin me?'

'No that ah'm aware ae.'

'And ye're no gonnae murder me?'

'Widnae even know whaur tae dump a body.'

'Right…' He smiles and shakes his heid. 'We've aw hud bad days ah suppose. Well, ah've niver telt somebdy ah'll sue them afore but ye get ma point. By the way, that wis a fake number ah gave ye so ah hope ye've no been phonin. Nice hat.'

Ah laugh. He turns tae his pal.

'Davie,' he says. 'Mind that lassie ah wis tellin ye aboot, the wan that wis gonnae sue me? This is her, here.'

Davie leans ower tae look at me.

'Pleasure,' he says, and we shake hawns. 'If ah wur you, ah'd take him fur everyhin he's got. Ye could probably buy a hot dog wi the payoot. Four quid this hing cost me.'

He holds up his hot dog, messy wi red and yella splatters.

'Ye're right,' ah hear Davie say under his breath tae Steven. 'She does look lit Daisy.'

Sheffield break on the counterattack and take the lead. Some ae their fans urr right in amongst the Braehead fans. This isnae anyhin lit the fitbaw. Naebdy's gettin chucked oot or anyhin.

'Whit happened tae the gurls that wur sittin there afore?' Steven asks.

'They wur in the wrong seats,' ah say. 'Got thur letters mixed up.'

Him and Davie baith nod. Thur eyes rarely leave the ice while they talk.

'Ye dae remind me ae ma stepdaughter,' Steven says. 'Hope ye don't mind me sayin. Ah'm no sure why though, yeese urnae exactly alike personality wise. Fur one, ye're here. Daisy near enough telt me tae get stuffed when ah used tae invite her tae come along tae hings wi me.'

'Ah dunno,' ah say, 'mibbe ye shid ask again. She might enjoy it. She might hink the players urr actually quite gid lookin, if ye're intae that sort ae hing.'

This disnae raise any eyebrows fur them, as thur too involved in the game. They must've trained thur eyes tae see this bloody puck cause ah cannae keep track ae it.

'Trust me, Rose,' Davie says, leanin ower. 'Ah've heard aw aboot Daisy fae Steven here, fur months. She's no fur giein him a chance. Between us, ah hink it's his breath.'

Steven breathes intae his hawn, smells it, then shrugs.

A Sheffield player chases efter a Clan guy and smashes him intae the glass. The crowd goes crazy. Ah join Steven and Davie on ma feet. The two players drop thur sticks and throw thur gloves on the ice. They grab each other's jerseys and start smashin each other. The crowd love it.

The two players collapse on top ae each other. It's hard tae tell who won and baith sets ae fans claim victory. The referee escorts them tae the penalty box.

'Does that happen every game?' ah ask.

'Ah'd say it's aboot fifty-fifty,' Steven replies. 'Hing is, ye're no really gettin yer money's worth if thur's no a scrap.'

Thur's a break in play while we wait fur the blood tae be washed fae the ice. The players skate casually, lit they're oot at the Christmas markets, and skoosh water intae thur gubs fae plastic bottles.

'So is this yer first game?' Steven asks.

'Aye.'

'And how are ye likin it?'

'Aye, it's gid. It's no as tense as the fitbaw.'

'Ye're right there. See, ah used tae go tae the fitbaw, but the doctor said it wisnae gid fur ma heart. He suggested findin suhin that widnae get me so worked up.'

Lookin aroond, ah can see why. Thur team's gettin beat but naebdy's shoutin aboot the ref's family or anyhin. The worst wis a wife shoutin that the ref wis a muppet and even then her kids looked mair embarrassed at her patter than scared ae her.

'You no wi any pals?' Steven asks.

'Ha, naw,' ah say. 'Jist on ma lonesome.'

'Ach, quite right,' Steven says. 'Nothin wrong wi enjoyin yer ain company.'

The second period ends. Clangus the Mascot walks tae the middle ae the ice and folk start tryin tae pelt them wi rubber pucks. Davie launches his but it ends up naewhaur near.

'He wastes his money on this every week,' Steven

laughs.

'Thur wis that wan time,' Davie explains. 'Ma puck hit Clangus's fit.'

'Did ye win though?'

'Naw.'

'And who did win?'

'A wee lassie… but she went right doon the front tae throw hers, and her da held her right up above the glass.'

'Aye, that's no fair, mate. Ye shid pit a formal complaint in.'

Ah laugh and surprise masel. Steven wis niver funny at hame. Thur's no wan time ah can hink ae whaur he made me laugh. He's been usin aw his patter on random young lassies at the hockey by the looks ae it.

Thur's nae such hing as gid guys. Thur's jist guys.

33

The final period passes quick. Thur's a few minutes left and the Clan urr four-wan doon. Folk start headin fur the exit. A Clan player trips a Sheffield player and the game stops again. The announcer comes on the tannoy.

'*A little birdie told us we have a special birthday in the crowd tonight, hockey fans! Our season ticket holder Steven McDaid is celebrating his fiftieth birthday! Say happy birthday, Clangus!*'

Steven turns in his seat and looks up the back ae the stands.

'Did he jist say—'

Afore he can finish, the highland coo mascot, Clangus, appears and bounds up the stairs. Clangus beckons Steven tae get oot his seat. Steven shakes his heid while Davie kills himsel laughin.

'This wis you, eh?' Steven says. 'Ye've telt them it's ma birthday?'

Davie can barely speak fur laughin.

'Ah telt them nuhin!'

Steven turns tae Clangus.

'Listen, pal. It's no ma birthday, it's no fur a couple ae weeks yet.'

Clangus continues tae dance, then leans intae us.

'Come on, mate,' comes the woman's voice fae inside the costume. 'Jist huv a wee dance so ah can get up the road. Ah'm sweatin buckets in here.'

Everyone nearby claps in unison and Steven gets tae his feet. He pits his hawns in the air in a show ae surrender. He squeezes past me and awkwardly dances wi Clangus. The crowd lap it up and it ends efter thirty bizarre seconds wi a hug between Clangus and Steven.

'Well,' Steven says, retakin his seat. 'There's suhin tae tell Annie when ah get hame.'

'Whit aboot this Daisy lassie?' ah ask. 'Urr ye no gonnae tell her?'

'Ha! Nah, she's moved oot noo. Nice flat in the west end that muggins here is payin fur, no that ah've ever hud a thanks aff her fur it. Ah didnae used tae see her much afore she moved oot right enough. Honestly, ah'm fairly sure she's got ma number blocked.'

The clock's tickin doon and the game's nearly done. Ah thought ma mum paid the rent on ma flat. That's whit she telt me. Steven's been payin fur me aw this time? How'd he even afford it? Ah cannae imagine his salary is up tae much. Fuck's sake.

*You're a **burden** to **everyone** even when you don't realise it.*

'See this Daisy,' ah ask. 'Huv ye telt her ye're a binman? Or huv ye lied tae her aboot it?'

He looks at me. He looks a little tired, or mibbe scared. He disnae answer. The final buzzer goes and everyone heads tae the exit. Ah go wi the flow and find masel walkin wi Steven and Davie aw the way, past the shutters ae closed shops and neat rows ae assorted kids' buggies.

Ootside, it's crunchy underfit and the crowd's breath becomes a permanent white spirit above oor heids.

'It's no that ah lied tae her aboot ma work,' Steven says finally. 'It's that ah know she'll be embarrassed ae me. If her pals find oot… ah know she'll be mortified. Ah'm proud ae whit ah dae, though. It's a gid honest livin, no like some folk ah ken. But it's hard gettin Daisy tae trust me at the best ae times. Ah'll tell her someday, if she ever gies me the chance.'

'D'ye no hink it's better tae try sooner rather than later?'

'She's young, jist turnt nineteen. Ah mind whit ah wis like at that age. When she's aulder, she'll be a bit mair… open tae gettin tae know me. Ah hope.'

Davie's met somebdy else he knows. They hug and share disappointed shakes ae the heid discussin the game. Ah dunno whit tae say tae Steven. Ah dunno whit tae say as Rose and ah really don't know whit tae say as Daisy.

'Ye awright tae get hame?' Steven asks.

'Aye, thanks. Ma friend shid be here somewhaur.'

While ah'm scannin the car park lookin fur Jill, him and Davie leave in a different direction. Ah try tae catch up wi them but ah slip on a patch ae ice and fall on ma erse. Ah jist cannae keep on ma feet these days.

As ah get back up, ah realise whit a shite spy ah wid be. Ah wis supposed tae get mair info fae him. Lit findin oot mair aboot next Saturday night. Noo he's gone and the last few oors huv been a total waste ae time.

Soon thur's only a few cars left and none ae them urr Jill's. Even ma big jaiket's no helpin against this cauld.

A security guy closes up the exit whaur we aw left fae. Ah fear he's gonnae come ower and ask me whit ah'm up tae, so ah start walkin wi purpose, as if ah've got somewhaur tae go. Right through the car park, ower the road, and intae the bigger car park at the other side ae the centre.

Again, nae sign ae Jill. Thur's barely any streetlights ower here and ah struggle tae tell the cars apart. Ah make ma way tae the far end, whaur a couple ae pubs urr still open.

Ah take a seat on a bench ootside and hope Jill will hink tae come here when she disnae find me anywhaur else. Ah bash ma feet against each other tae keep the heat in them. Ah pit ma hawns on top ae ma hat. Ye lose heat fae yer heid, don't ye?

'Rose?' a voice says.

Ah look behind me. At the door ae the pub is Steven. He hauds a frosty pint in his hawn.

'Ah thought that wis you,' he says. 'Whit urr ye daein oot in the cauld? Come and wait inside wi us if ye want.'

Drinkin wi Steven wis niver close tae bein on ma bucket list. And ah'm meant tae be keepin him away fae booze and fags as well. Ah'm daein a terrible job, ah really um.

'That's nice ae ye,' ah say. 'But ma friend'll be here any second. Ye can keep me company though?'

He nods, then comes oot and stands by ma side.

'Here,' he says, and hawns me a napkin. 'That's ma number. Ma *real* number. Jist in case yer pal disnae show and ye need a lift.'

The napkin flaps in the breeze.

'Why?' ah ask.

'Why whit?'

'Why urr ye bein so nice tae me? Ye don't know me. And ah threatened tae sue ye.'

He shrugs.

'Forgive and forget and aw that. We aw get doon on oor luck sometimes. Ah hope ah don't offend ye, Rose, but it seems like... ye're doon on yer luck at the minute. And... mibbe ah feel bad that ah noticed ye fallin doon there, but Davie convinced me jist tae walk away.'

Ah take the napkin, fold it up and pit it in ma pocket.

'Thanks,' ah say. 'Ma pal will be here any minute ah'm sure.'

'Awright. Well, me and Davie come here fur a wee dram efter every game so we might see ye again some time. Next Saturday mibbe.'

He says night and walks back towards the pub. As he gets tae the entrance, ah shout efter him.

'Ye shid stop drinkin, ye know. It'll kill ye.'

'Ye sound like ma Annie,' he calls back.

'Smart woman.'

Steven disnae hear me, he jist smiles and goes inside. A pair ae headlights shine and light up the area in front ae the pub. A *toot toot tooooot* lets me know it's Jill.

'Whaur the fuck huv you been?' ah ask, gettin in and pressin ma hawns tae the heater. 'Ye could crack ma nipples aff and use them as a snowman's eyes.'

'Ah've been daein laps fur a while,' Jill replies, lookin red in the face. 'The polis asked me tae move on. Said somebdy hud reported a lassie sittin in a balaclava that fit ma description. Anyway, did ye find oot anyhin helpful?'

The car rolls ower a speedbump gently and rocks ma heid against the headrest.

'Aye,' ah say, pointin at the pub through the windae. 'That's the pub whaur Steven's gonnae die.'

34

When ah wake the next mornin, ma face stuck tae the leather ae the couch, Jill's awready gone. It's Saturday, December 9th. Steven's gonnae die on Saturday, December 16th. Wan week tae go. Wan week mair ae bein in this body. Wan week til everyhin goes back tae normal. Ah hope.

*Normal? **Not sure about that.** Do you **really want to go back?** **Now you know** what Frances and Sam **really think** of you. But you **always knew that,** didn't you?*

Jill seemed happy enough wi ma recon mission last night. Ah got the vital bit ae info: that Steven's gonnae be at that pub, The Harp & Hound Tavern, next tae the arena on Saturday night. Ah checked the Clan fixtures when we got back tae the flat. December 16th, home game against the Guildford Flames.

'Bet ye that's a death match,' ah said.

Jill didnae laugh.

So it seems pretty straightforward noo. Steven's gonnae get himsel in a fight at the pub efter the game. Or get involved tryin tae break yin up.

But ah don't see whaur the fight's gonnae come fae. Even if the team get beat ah don't see him or the other fans bein aw that angry aboot it. They got beat last night and naebdy even shouted fur the manager tae get sacked.

It's almost as if it's jist a game tae them.

We spent a bit ae time last night scribblin doon some ideas fur the next seven days. Jill came up wi:

- *meet up with Steven again*
- *convince him to give up booze and eat more healthily*
- *help lower his blood pressure*
- *reduce risk of heart attack*
- *prevent fight after the Clan game*

Ah came up wi:

- *Burn down the Braehead Arena*
- *Clan's season would be over*
- *No chance of heart attack at the pub*
- *I've always wanted to set a building on fire*
- *Burn down the Clan's team bus*
- *If they don't have team bus, burn down each player's car*
- *Kidnap the mascot, Clangus*

It wis a close run hing but we're goin wi her ideas. If ah'm bein honest, ah don't hink kidnappin the mascot wid actually dae that much, that wis jist a joke answer, tae keep oor spirits up. Ye see it in American fulms sometimes. Jill didnae find that funny either.

At lunchtime, she returns wi Paesano pizzas fur us. Number 4, spicy salami, fur Jill, number 5, ham and mushroom, fur me. We sit and watch *Soccer Saturday*, ma choice. Ah roll ma pizza intae one big makeshift calzone.

'Any further thoughts?' Jill asks, then quickly adds. 'That urnae aboot burnin doon buildins.'

'Aye,' ah say. 'Somebdy really needs tae tell Charlie Nicholas tae get rid ae that ear stud.'

She disnae know who he is. Ah try and point him oot but the camera disnae pan back roond tae him.

'Urr ye gonnae see Steven afore next Saturday, aye?' she asks.

'Ah don't hink he'll want tae meet me again. And it's hardly lit ah can change his diet in wan day. How dae ah even bring that up? "Hullo, Steven, oh by the way huv ye tried this hing called lettuce? It's dynamite and ah hink ye shid get involved".'

'Ye still need tae try. This isnae a joke, ye know? This is yer life wur talkin aboot.'

Ah rub ma temples and try and mind ah shid be thankful she's lettin me stay wi her.

'Listen, Jill, whitever's gonnae happen is gonnae happen next Saturday. Ah shid save ma strength fur then.'

We eat oor pizzas and watch as the scores trickle slowly up the screen. Ah don't mind any ae these results.

Shame. Ah'll need tae remember tae pay attention tae mair fitbaw results in case ah travel back in time again and need some quick cash.

'Urr ye scared?' Jill asks me.

*I **know** you are.*

'Ha!' ah say. 'Scared. Gid yin. Whit um ah meant tae be scared ae?'

'That ye'll get stuck in this body... Rose,' she replies, chewin on a crust. 'Or mibbe ye're realisin that ye actually like yer stepda.'

'Aw, here we go. Ye didnae dae psychology at uni by any chance did ye?'

'Well, ah got ma honours in Media Studies but ah did psychology in second year.'

'Aye, well, it shows.'

She grabs the remote and starts flickin through the channels. Soon we're on an auld episode ae *Mock the Week*. They're makin fun ae some story ah don't mind even happenin.

'In the car comin back last night,' Jill says. 'Ye couldnae stop talkin aboot him.'

'Aboot who?'

'Steven.'

'Ah'd jist spent two oors sat next tae him. Whit else um ah gonnae talk aboot? The weather? Ah've awready lived through this weather two weeks ago. Spoiler, it's gonnae continue tae be cauld.'

She pits her feet up on her chair and smiles.

'It wis the way ye talked aboot him. Lit a wee lassie talkin aboot how great and funny her da is. Ye wur *this* close tae tellin me that your da could beat up ma da.'

It takes a lot tae stop me fae eatin a Paesano pizza. Ah pit doon the remainder ah huv left back in the box. Ah point a greasy fing'r at Jill.

'Ma da *wis* great,' ah say. 'And ma da *wis* funny. Right up until the day he decided he'd hud enough and walked oot on us. The day whaur he decided that some wife he'd known two months wis mair important than ma mum and me. It disnae matter whit they say, let me tell ye, Jill. It's thur actions that mean the most. Thur aw jist waitin on the first opportunity tae jump ship and, guess whit, Steven's nae different. Years he wis wi ma mum and he niver proposed, even though ah know fur a fact she wis askin him tae. He wanted a wee emergency exit so he could escape whenever he pleased.

'The *only* reason ah'm gonnae stop him dyin is cause he's payin fur the rent on ma flat and thur's nae way ah'm movin back in wi ma mum. Ah'm no giein up livin in the west end tae go back tae East Kilbride. So don't fuckin speak aboot hings ye don't know aboot.'

Ah pick ma pizza back up. Jill sits quietly. She cuts up her pizza. She lifts the remote and pits *Soccer Saturday* back on.

'If ah hud ma ain room,' ah say. 'Ah'd probably storm

aff tae it right noo. But, here we urr. Cheers fur the pizza, by the way.'

We stay lit that until the daylight fades oot the sky and darkness sweeps ower the west end. It only takes aboot forty-five minutes til ah can see ma reflection in the windae lit it's a mirror. It's still no me lookin back.

Ah hate thinkin aboot ma real da. Ah hate when suhin tiny reminds me ae him, and ah especially hate it when other folk make me think aboot him. It's lit an underwater level in a game, lit the yin in *Crash Bandicoot*, whaur ye're swimmin and tryin tae avoid the bombs, and the bomb goes aff even when ye're sure ye didnae touch it. Cause ye really didnae touch it and the game's jist shite. It wisnae your fault. Ye did everyhin right but ye still huv tae go back tae the start ae the level and hope ye can get through it again withoot settin aff the bomb.

When he left, Mum reverted back tae her maiden name, Douglas, but cause ah wis fifteen ah couldnae dae it withoot his permission. He's on ma birth certificate and that means he hus *parental responsibility*. Whit a laugh. Thur wis nae chance ah wis askin him fur a favour, so ah rode oot they last 6 months under his surname. When ah turnt 16, ah binned ma passport and telt the passport office ah'd lost it, wrote ma ain change ae name deed and left that name behind forever.

Every noo and then, ah get a letter under that surname. His name. *Boom*. Clipped the edge ae a bomb and it's back tae the start ae the level.

'If anyone's scared,' ah say, finally breakin the silence. 'It's you.'

Jill shrugs and keeps her eyes on the telly. We've switched ower tae a celebrity version ae *Pointless*.

'Goan enlighten me then,' she says.

'Well, if Steven dies next Saturday, ye're stuck wi me.'

'Let's no hink aboot that.'

'But ah bet ye've got a plan jist in case? Make me a new identity and that? Ah'll tell ye wan hing, ye better consult me afore ye pit ma name on anyhin. Ah'm no sure ah want tae stick wi Rose.'

Again, she shrugs and her eyes don't meet mine.

'Let's jist see whit happens.'

35

Ah spend the next few oors goin in and oot ae sleep on the couch. Ah've iways hud this theory that Saturday night telly is scientifically designed tae pit ye tae sleep. Honestly, if ye're plannin a big night on the toon and ye make the mistake ae sittin doon fur ten minutes ae *Strictly*, that's you in fur the night.

Jill shakes me awake.

'Ah'm goin tae the ABC wi ma pal Kylie,' she says tae me. 'Will ye be awright on yer ain?'

Ah close ma eyes and murmur an approvin sound. 'Um ah no invited?'

'Oh, em, well, ah dunno—'

'Ah'm only jokin. Away oot and enjoy yersel. The mair ah sleep the quicker this week goes.'

Ah open ma eyes and watch her goin oot the door. She's wearin black boots, black hoodie, black cap. Ah promise masel ah'll niver go up toon wearin that kind ae get up when ah reach her age.

Course, thur's iways been a part ae me that disnae see masel growin auld. The idea ae reachin fifty, sixty, seventy year auld? It seems impossible. Then again, a few years back, reachin nineteen seemed a lifetime away. But noo ah've got experience wi lookin in the mirror and no recognisin the person starin back. Mibbe ah'm ready tae grow up.

Ah wake aboot midnight, damp wi the kind ae sweatiness that only comes when ye nap at the wrong time, in the wrong place. A fulm's on the telly. The light fae Vince Vaughan's coupon glares ontae the carpet.

The sound ae drunks oot on the street, yellin and laughin, reaches ma ears. Ah throw aff the duvet, glad tae be cooled doon a bit, and walk tae the windae. Ah spread the blinds and look oot. A group walks by Coopers, crosses the road and gets in the queue fur Viper.

Mibbe ah shid've forced masel intae Jill's night oot. God knows, ah could be daein wi a laugh and a drink and a dance. And it's no lit ah need anyone else tae huv a gid time. Ah iways make pals on a night oot anyway.

Ah readjust ma eyes and see Rose's reflection in the windae. She smiles. Whit could be better than a night oot in a body that disnae really exist? Alcohol kills brain cells, so they say, but this brain's no gonnae be aroond fur much longer. And ah *did* buy a dress when ah went tae Topshop, jist in case.

But first ah'm gonnae need some ID, in case the bouncers hink Rose looks under twenty-five. They *better* hink ah look under twenty-five.

Ah can barely see the Cathouse entrance door in the distance by the time ah get there and join the back ae the queue. Some folk gie up and go across tae KFC tae end thur night there insteid, the aroma ae fried chicken too encitin tae resist. Ah huddle close tae the group ae gurls in front ae me so the bouncer hinks we're thigither.

Taxis zoom by and swerve in different directions at the four corners. It's freezin. The guys behind me take thur jaikets aff and stuff them in a backpack so they only need tae pay fur wan item in the cloakroom.

We shimmy in short bursts til we arrive at the front ae the queue. The bouncer makes eye contact wi me.

'ID?' he says.

A quick midnight snoop aroond Jill's bedroom came up wi the goods, as well as a gid few metallic objects ah don't even want tae know whit she uses fur.

Ah take oot the ID caird ah found in Jill's top drawer.

'When did ye pass yer test?' the bouncer asks me.

'Ah didnae.'

It's a green provisional. Ah've heard that question catches a lot ae folk oot though. Ah'm still sober enough tae be on ma toes. Ma search ae Jill's room only turnt up a miniature bottle ae Southern Comfort alcohol-wise, so ah necked it in the taxi here.

'In ye go,' the bouncer says.

The left hawn side ae the stairs is packed wi guys, but the right is fur lassies only and it's a clear path. Ah run up and feel the male gaze burn intae ma back. Thur aw tight jeans and loose t-shirts. A quick pat doon fae the lady bouncer then ah head tae the top flair.

Underdog by You Me At Six is blarin. They iways play this yin. In fact, they rarely update the playlist and that's part ae the appeal. Ah'm back in ma element, the first time since ah became Rose that ah really feel lit Daisy again.

A mass ae dark bodies huddle in clumps on the danceflair, some content in their groups and some desperate tae join others. The higher folk raise thur plastic cups, the mair ae a belter that's playin.

Ah head through tae the back, the hip hop room, whaur it's easier tae get served. Venom gies me bad memories so ah order two pints ae Coors, tan the first and walk away wi the second. The barman gies me a dirty look. That's me on his radar noo. *Watch oot fur that lassie in the stunnin dress, she's neckin pints, might need tae refuse her service later.*

It's gid tae be back in here, even if it's jist by masel. Naebdy can judge me cause ah don't exist. They can fulm me dancin if they want, but ah don't need tae worry aboot the notifications that might be waitin fur me in the mornin. Ah don't need tae experience the mornin efter the night afore.

Ah go back through tae the main danceflair. *Movies* by Alient Ant Farm is on noo. Ah find a nook near a pillar and dance on ma ain. Robyn wid be proud.

Somebdy bumps intae ma back. Here we go. Some lad who isnae brave enough tae start a chat but *is* brave enough tae make back-tae-back contact and pretend it wis accidental.

'Sorry,' says the person.

But it's a gurl, no a guy. Her eyes urr gone. She's haufway through a Venom, but maist ae it seems tae be spillin ower the side ae her cup as she stumbles aboot. Behind her, her two pals gie me sorry smiles and ah smile back tae let them know ah don't mind.

Efter aw, it is *me* who's botherin me.

36

'Ye huvin a gid night?' she says.

So this is whit ah look lit on a night oot in Catty. Ah wish ah could say it's a pretty sight.

'Aye,' ah reply. 'Whit aboot you?'

'Fuckin great. Huv ye met ma pals, thur...' she looks tae find Frances and Imogen vanished, gone tae sit in the corner, away fae the speakers but still close enough tae keep eye on her. 'Thur borin bastarts, actually.'

She's sad, but she disnae show it. Mibbe she disnae know it. When ah drink, ah niver can tell whit parts ae ma personality urr gonna be ramped up and which parts urr gonnae be numbed. That's part ae the appeal, ah suppose. Ye niver know whit's gonnae happen.

Daisy doons the rest ae her drink and throws the plastic cup tae the flair. Wee green flecks ae dregs scatter on ma face.

'Whit's yer name?' she asks, eyes unable tae properly take me in.

'Rose,' ah say.

'Nae way,' she says. 'Ah'm Daisy! Daisy and Rose, whit urr the chances!'

'Smaller than ye'd hink.'

She takes ma hawn in hers, sticky tae the touch, and leads me further intae the pack ae sweaty bodies. She swirls her heid roond, hair stickin tae her foreheid.

'Here,' she shouts in ma ear. 'Ah need tae tell ye suhin.'

Ah lean in close tae her. She angles her heid lit she's gonnae whisper in ma ear, then she sticks her tongue doon ma throat. Ah pray tae god ah only winch lit this when ah'm hauf cut cause she's absolutely awful at this. Lack ae experience ah suppose. Her mooth is open as wide as humanly possible and her tongue sweeps roond mine lit it's tryin tae win a game ae tongue wars that ah didnae challenge her tae.

Ah break away, wipin slevers on the back ae ma hawn.

'Sorry,' she giggles. 'Ah niver normally dae that. But thur's suhin aboot you. Ye remind me ae… somebdy. Ah cannae quite remember who though.'

Ah laugh.

'Aye, ah get that a lot.'

Beating Heart Baby by Head Automatica is next on the playlist. Ower at the DJ booth, a guy hawns his phone tae the DJ, hopin his personal list ae songs is gonnae override the DJ's carefully curated picks. A shake ae the heid fae the DJ. Denied.

'Listen,' ah say, 'ah know ye'll no remember this in the mornin so jist let me tell ye. Ah'm you.'

Daisy's body jitters tae the music, her arms flailin. She nearly catches a guy on the napper and ah gie an apologetic look. *Sorry aboot her. Sorry aboot me.*

'Whit?' she asks. 'Whit does that mean?'

'Ah'm you. Ah'm you fae the future. Ah'm Daisy as well.'

'Oaft! Cool! Whit's that like?'

'It's kind ae shite, mate. Ah miss seein yer face in the mirror.'

'Well, ye can huv a loan ae it whenever ye want. Here, come wi me and we'll get Skittle bombs.'

Her hawn reaches oot fur mine again but ah slip it oot ae reach. Ah lean intae her ear.

'Ah know ye're no gonnae remember this,' ah tell her. 'Ye're no gonnae remember maist ae tonight. Ye're gonnae wake up the morra and ye're gonnae hate yersel. Ye're gonnae hate that ye've done it again. Ye'll message Frances and she's gonnae huv tae fill ye in wi whit ye did. Ye'll pretend ye hink it's funny but really, even though ye'd niver tell anyone, ye'll be mortified. Ye'll huv some bad thoughts. Ye'll hear that voice ye iways hear, tellin ye ye're worthless. Ye'll hink the bad thoughts urnae gonnae pass. But, trust me, ye'll get through it. But someday ye're gonnae need tae be honest wi Frances. Ye're gonnae huv tae admit ye *need* her. Ye're gonnae need tae admit you care whit she hinks ae ye. Ye care so much ye sometimes go through her Twitter likes tae see if she's liked any tweets aboot folk bein bad friends. And ye pretend ye don't care whit Frances hinks cause ye know, deep doon, that she disnae hink ye're a gid friend. And someday she's gonnae realise that ye're no worth the effort. Ye're gonnae need tae change, Daisy. Ye're gonnae need tae be a proper friend wan ae these days.'

Ah lean back. Daisy's got her eyes shut.

'Sorry,' she says. 'Ah couldnae really hear that? Did ye say ye know ma pal Frances?'

She bumps intae another group ae gurls. She turns and joins them, squeezin intae a space that disnae really exist. She's their problem noo.

Ah slink away and place ma unfinished drink on a bench at the top ae the stairs. Folk urr cryin and winchin and screamin intae phones tae the pals they cannae find.

Ah locate ma jaiket fae the dark corner ah stashed it in, pit it on and head doonstairs. Ah can jist aboot make oot the openin riff ae *The Middle* by Jimmy Eat World startin up behind me.

Sunday is spent on the couch. Ah only hud a pint and a hauf at Catty last night but as ah'm quickly findin oot, Rose's body really isnae as capable as Daisy's. Capable wi alcohol that is. Fur aw ah know, thur's some talent Rose hus that ah've no discovered yet. Mibbe ah'm excellent at the javelin noo. Or if ah see an equation on a chalkboard, mibbe ah can solve it nae bother. But wi D-Day 6 days fae noo, ah'd rather no find oot whit ah'm missin.

Ah nip doonstairs tae the Co-op at one point tae get some munchies. They dae these dirty fries covered in cheese and jalapenos that is lit heaven in a foil container.

And the best part is aw the calories urr goin tae Rose's belly insteid ae mine. Unless the calories transfer back ower when ah go back tae ma ain body which ah hink wid be completely unfair.

While ah'm oot, ah wander doon Great Western Road and pit a bet on at Coral ae another result ah mind fur sure. Liverpool 1-1 Everton.

Efter ah get ma winnins, ah chap on Jill's door. She's been locked in her room aw day, ah'm guessin nursin a hangover. Ah thought aboot goin tae the ABC last night when ah left Catty. Ah thought seein Jill in a bad state might make me feel better aboot seein *masel* in a bad state. In the end, ah walked aw the way back tae the west end and saw plenty ae sights that made me feel better aboot masel, but worse aboot Glasgow. Ah wis brought up tae hink it's the best city in the world, and mibbe it is, but thur's plenty ye widnae pit in the *Lonely Planet* guidebook. And unless ye've been tae every city in the world, how can ye say which wan's best?

'Ye shidnae treat yer body lit that,' ah say through the door tae Jill. 'Aw that alcohol damages yer insides. Ye only get two bodies in this life.'

Ah slide a couple ae hundred quid under Jill's door.

'Fair enough, bad joke,' ah say. 'Here's some digs fur ye. Since ah ate aw the Jammy Dodgers. And the Caramel Wafers.'

A few seconds ae silence, then she replies.

'That you, Daisy? Did ye say suhin?'

'Aye,' ah say louder. 'Ah said that's ma digs. Ah knew whit the Liverpool score wis gonnae be today.'

'Sorry, ma ears urr ringin fae last night. Ye don't need tae.'

'Aye, but ah want tae.'

'Cheers.'

Ah keep ma ear tae the door. Thur's some kind ae metallic clickin sound. Ah cannae tell whit it is. Dae ah really want tae know?

D'ye realise whit it takes tae create a hale new identity?

'Urr ye still oot there, Daisy?'

Ah race back tae the safety ae the livin room as quietly as ah can. The less ah know, the better. In less than a week, ah'll be Daisy again and ah'll niver huv tae wonder aboot Jill's dodgy dealins ever again.

But she'll still be here, in this flat, in the same part ae the city as me. Ah wonder whit we'll dae when we eventually pass each other in the street? A polite nod? A raise ae the eyebrows? Will she be jealous that ah got back tae ma real life and she niver did? She seems fairly content wi her lot in life. A job, friends tae go oot wi on Saturday night, and a nice flat across the road fae Paesano? She's daein awright, as it happens.

But then ah remember, she disnae know whit Daisy really looks lit. Even ah'm startin tae forget.

Part Four

Off the Rails

37

It's Monday mornin and ah'm up afore Jill. Ah pit the telly on and watch a bit ae *Everybody Loves Raymond*. Usually ah'm no up til *Frasier* and usually ah like it that way. Every character in this programme makes me want tae scratch ma eyes oot, includin the kids. Insteid ae safe sex videos, high schools shid show an episode ae *Everybody Loves Raymond* tae the kids tae show them whit happens when ye don't use condoms. Family happens.

Jill comes intae the livin room, shruggin her backpack on tae her shooders.

'Why urr ye up so early?' she says. 'If ah didnae huv work ah'd be sleepin til twelve at least.'

'Ah've got a plan,' ah say, slurpin a moothful ae Frosties. 'Aw, Frosties urr so underrated, man. Ah've no hud them in ages.'

'Really?'

'Aye, ah usually huv Cheerios.'

'Naw, ah meant, ye've really got a plan? Whit is it?'

Ah tap ma nose, then continue rubbin the skin. Rose husnae got her nose pierced, and ah miss the wee indent ae the hole under ma fing'r.

'It's a secret,' ah say.

'A secret?'

'A secret plan.'

Jill sighs.

'Or urr ye no tellin me yer plan cause ye know it's stupit and ah'd tell ye no tae dae it?'

'It's a low risk, high reward plan,' ah say. 'Ah promise.'

'Jist promise me ye'll be careful awright? Mind ye don't exist here. If the polis lift ye there'll be aw kinds ae questions that ye don't huv answers fur. And ah don't exactly want the polis roond ma door when ye tell them whaur ye're livin. Ah've got a new identity but it willnae withstand the polis tryin tae poke holes in it.'

Ma eyes drift back tae the screen. This Raymond guy, who "everybody loves" apparently, lives across the road fae his mum and da, that's the basic premise ae the programme. But how can he no jist move? That's whit ah'd dae. The hale show shid've lasted wan episode whaur his parents get on his nerves and he goes "right, bye" and moves tae the other side ae the country.

'Daisy?' Jill says. 'Urr ye listenin tae me?'

'Aye, aye. Nae polis. Huv a gid day, sweetheart.'

She growls, grabs her keys fae the table and leaves me in peace. Ah change the channel.

The box is lighter than ah expected. Ah slide it aff the seat as ah get oot the taxi and pay the driver.

The Christmas lights in the pub windae are on but it's difficult tae appreciate them in the daylight. Christmas shoppers, done at Braehead fur the day, sit inside wi hefty bags at thur feet. A pub lunch, fur a treat. The customers urr mainly aulder folk, makin the maist ae retirement or jist bein aff work on a weekday.

Ah step inside. The gurl behind the bar is stockin cans ae juice intae wan ae the mini fridges. She stands and turns tae me.

'Hiya,' she says.

'Hiya, can ah get a lemonade?'

'Draught?'

'Please.'

She grabs a glass fae below the counter and starts fillin it wi the juice gun.

'Whit's in the box?' she asks.

What's in the box? What's in the booooooxxxxx?

'It's no Gwyneth Paltrow's heid, don't worry,' ah say, and the lassie disnae smile. 'It's jist shoes.'

'Really? What's wi the holes?'

'Tae let them breathe apparently. Wife in the shop said it's a special type ae leather that needs constant oxygen otherwise the shoes... die.'

Ah pay fur the drink and make ma way tae the furthest away, quietest table ah can find. The lemonade is flat but ah drink a few gulps so ah don't stand oot. The door tae the kitchen swings open and ah hear a radio playin *Underneath the Tree* by Kelly Clarkson. A modern classic, if ye want ma opinion.

Ah'm jist aboot tae pit ma plan intae action when a group ae four aulder ladies come in and sit at the table right next tae mine.

'Is it table service?' wan ae them asks tae naebdy in particular, while another woman goes tae the bar.

It's clearly thur Christmas Day oot. Two ae them wear tinsel roond their necks. The other yin on the opposite side ae the table clocks me. A young lassie, sittin alone in a pub on a Monday efternoon. Must be wan ae they lazy students.

Thur's too many ae them, too many eyes that could turn me in. Ah decide tae carry oot ma plan in the bathroom. It willnae huv the same impact but it shid still work.

That's the plan, until ah overhear wan ae the women say:

'Well it's no like she wisnae lookin fur trouble, dressed the way she wis.'

The rest ae them nod.

'If ye dress like a hoor, ye shidnae be aw that surprised when ye're treated like a hoor. No that ye're allowed tae say that these days.'

Again, a roond ae noddin fae the group.

'Anyway, we huv tae order at the bar,' another says. 'They don't dae table service. Lazy gits, they'll no be gettin a tip aff me. Ah'll sit wi the bags if youse want tae go up.'

The rest leave and she stays behind tae guard the assorted bags. She sits wi her hawns on her belly, lookin oot the windae. She sits, no hurtin anyone. But look at the way she's flauntin they bags. They bags wi aw thur nooks and cranny's fur wee creatures tae hide inside. She's clearly askin fur it.

Ah lift ma box and speak tae it.

'Okay, boys. Time tae go on an adventure.'

The woman disnae look up as ah approach the table. Ah cough. Her big earrings quiver fae her earlobes as she turns her heid.

'Aye?' she says.

'Hullo,' ah say. 'Ah wis sittin at this table earlier. Ah hink ah might huv dropped a charm aff ma bracelet. D'ye mind if ah huv a quick look?'

She leans back in her chair and looks oot the windae again.

'If ye must. But be quick.'

'Ta.'

Ah drop tae ma knees and open the box under the table. The mice scuttle aboot in excitement at the light and sudden freedom. Ah tip them oot, huvin tae flick wan or two stragglers tae leave the safety ae thur wee temporary hame. The guy in Pets Paraphernalia said this particular breed wur wan ae the friendliest ye can get. That wis a shame. Ah hud really hoped fur a breed ae ankle biters. Ah bought six anyway, hopin they might rile each other up.

Wan immediately dives intae an open handbag. Result. Ah close the box and get back up.

'Wait a minute,' ah say, twistin ma wrist. 'Ah've jist remembered, ah've no even got a bracelet. Whit a daftie ah um. Thanks anyway. You huv a gid Christmas. Ba-bye noo.'

The wife opens her mooth tae respond but ah'm gone, past wan ae the several fake Christmas trees, past the other three women at the bar, and past the condiments trolley, whaur ah ditch the box.

The cauld air feels lovely, lit a slap in the face ae congratulations fae the world fur a job well done. Ah walk tae a bench near the road and sit facin the opposite way, so ah can watch the result through the pub windae.

Behind the glass, the other three women re-join the table and naebdy's noticed anyhin yet. A member ae staff collects ma unfinished lemonade.

The fireworks begin when wan woman yells and leaps up. Ah cannae hear the screams so ah huv tae imagine the sound she's makin. It's nice.

Her glass ae Prosecco goes flyin, as does the ice bucket wi the bottle inside. The other women jump back fae the table, and grab fur their bags underneath. Ah chuckle away tae myself. A guy passin by stops and turns tae see whit ah'm laughin at.

'Jeezo,' he says. 'Whit's happenin in there?'

'Ah hink they've found mice,' ah say.

'Aw naw. Poor women.'

'It's the mice ah feel sorry fur.'

He continues on his way and ah get tae ma feet. The women huv deserted the table and urr headin fur the exit. The door swings open and thur screams can be heard everywhaur noo.

'Ah'll be reportin this tae the health board!' wan shouts.

Ah break intae a light jog in the opposite direction. Ah pit ma hawns in ma pockets then yank them right back oot. Thur's suhin furry inside wan ae them. Slowly, ah pit ma hawn back in and pull oot one broon moose.

'Hullo there, fella,' ah say, still walkin at pace tae get away fae the pub. 'That wis clever. Ah suppose ye can stay.'

He squeaks in approval.

38

Thur's a scream.

Ah sit upright, haufway between awake and asleep, a weird dream still swirlin in ma heid. These last few days it's been hard tae tell the difference between bein awake as Rose and bein asleep as Daisy again. In ma dreams, ah'm iways Daisy.

Ah rub sleep oot ma eyes.

'Mm?' ah say. 'Did you shout, Jill?'

The livin room door opens. Jill comes in and jumps up on the couch whaur ah'm lyin. Her feet stamp intae the duvet and sink intae the cushions aroond me. She shivers.

'Rose, ah don't want tae alarm ye,' she says, lookin at the flair. 'But ah hink we huv wan, or multiple, mice in the flat.'

Ah lay back doon and look fur the telly remote.

'Rose!' Jill says. 'Did ye no hear whit ah said?'

'It's jist Squeaker,' ah say. 'He's foragin.'

Jill takes the remote aff me and skelps me wi it through the duvet.

'You brought a *mouse* intae ma flat?'

She jumps back aff the couch and rips the duvet fae me. Then she grabs the pillows as well.

'Get up!' she says. 'Take that dirty creature oot ae this hoose! And go and see yer stepda or suhin, fur fuck's sake. Make yersel useful! Cause ah'll tell ye suhin, ye're no stayin here wi that hing past Saturday. If Steven dies, yeese urr oot on yer erses ah swear tae ye.'

Ah pit ma claithes on quickly. Ah've niver hud tae dae this afore, quickly throwin on ma claithes in a stranger's flat. Ye cannae get caught in the act if ye're niver in the play.

Squeaker is sittin by the bin in the kitchen, munchin on some wee crumb he's found on the flair. He scurries up ma arm when ah extend it doon tae him.

'See ye efter work, darlin,' ah shout at Jill, who's still nervously hingin aboot the doorway.

'Don't dare bring that hing back here!'

Hiya, Steven, it's Rose. From the hockey the other night? I wanted to talk to you about something. Sorry if this makes you feel weird, but I don't have anyone else to go to. If you're working today, I could meet you on your lunch?

Hello Rose, I finish at 2 today. I'm driving over to kelvingrove park to feed the birds (I know it's sad.) You could meet me there if you like, hope everything is ok

That sounds perfect. I'll get you at the fountain at the back of 2? (The smaller fountain by the bridge.)

Steven's awready there when ah get tae the park. He stands wi a few pigeons at his feet, a heavy lookin bag ae sunfloo'er seeds in his hawn.

'Efternoon,' he greets me wi.

'Hiya. Sunfloo'er seeds, eh?'

'Aye, ah read ye're no meant tae feed burds and ducks bread anymair. Makes them unwell or suhin. Ah've been feedin burds bread fur years, who knows how many ah might've killed.'

Ah fight back a laugh at that terrible da patter. Stepda patter. Then ah remember that ah'm a random young lassie he disnae know and he met up wi me wi nae hesitation. Why did he no pit in this effort wi me? Cause ah turnt him doon a few times? Said ah didnae want tae go tae the fitbaw wi him? Boo hoo. Grow up and try again.

*Maybe he realised you're **not** worth it.*

We start walkin thigether. Ah instinctively look aboot tae check naebdy ah know is gonnae see us thigether. Ah slag him aff so much, it'd be terrible fur ma reputation if folk thought ah actually didnae mind him.

Then ah mind ah'm Rose. Rose disnae huv any pals. Rose disnae huv anyhin tae be ashamed ae. Rose is allowed tae like Steven if she wants. Rose can dae anyhin she wants. Rose disnae huv a history. Rose is free.

'Ye know it's maistly pigeons ye're feedin,' ah tell Steven.

'Aye.'

'A lot ae folk wid say ye shidnae be feedin them.'

'Aye, people hink thur jist rats wi wings. But it's December, it'll be tough fur them. Less food kickin aboot.'

'Ye actually like pigeons?'

'Like might be a strong word. But huv ye ever seen a pigeon lyin deid in the street? It gies ye a fright, makes ye feel… uneasy inside. Disnae matter how much ye might no like them, thur still livin creatures. Ah'm no gonnae go oot ma way and start a "save the pigeons" charity but ah can gie them suhin tae eat at least.'

Frost crunches beneath oor feet as we walk. Steven extends his arm and drops seeds at the side ae the path. A blackburd gies me a fright as it flaps ower ma heid and lands behind us.

'No that ah don't want tae chat tae ye,' Steven says, 'but ye said thur wis suhin ye needed tae talk tae me aboot?'

'Oh aye,' ah say, diggin intae ma pocket. 'Ah thought, ye know, wi yer profession, ye might know whit tae dae wi this wee guy.'

Ah try tae pull Squeaker oot ae ma jaiket pocket but he resists, and when ah dae get him free he gies a worried squeak and jumps back in. His heid is jist aboot visible, peerin oot.

'Och, he'll no want tae come oot,' Steven says. 'Wi aw these burds aboot.'

Ah gie Squaker an apologetic stroke.

'But aye, ah've seen ma fair share ae mice. No gonnae lie tae ye Rose, they don't huv much ae a lifespan. And ah'm sure ye'll ken awready they like tae pee and poo aw ower the shop.'

'Ah might've noticed.'

Ah don't mention how many times ah've hud tae Febreeze ma jaiket so far tae keep the smell fae settlin in. Steven says "pee" and "poo" insteid ae "pish" and "shite". Ah wonder if it's fur ma benefit.

'He'll no be happy,' he says. 'On his ain. They like tae be part ae a group.'

'Like people,' ah say. 'Well, maist people.'

'Ye're best tae let him go in a field, away fae the city centre.'

'Right, ah'll dae that.'

We continue walkin through the park. Dugs seem tae outnumber people, runnin aboot lookin fur baws and claps. A tiny wee yin wearin a Christmas jumper jingles as it darts between trees. A golden retriever walks next tae us fur a bit and Squeaker spasms in ma pocket.

A pop-up stall is sellin mulled wine at six quid a pop. The warm, dark red smell seeps oot as the wine is sloshed intae polystyrene cups.

'Ah love this time ae year,' Steven says.

Ah let a laugh oot ma nose.

'Ah take it ye don't agree?' he says.

'Ah jist…' ah say, 'huv a bad feelin aboot Christmas this year.'

39

Steven and me pass the skate park, which lies under a thin carpet ae frost, untouched by rumblin wheels and Converse. Ye'd be surprised by how busy this bit gets in the summer. Ah like tae watch them, the skaters, daein thur hing. Brings oot ma inner Avril Lavigne. Fur a few seconds each year, ah really truly convince masel that ah'm gonnae get a skateboard. Then ah see somebdy fall and skin thur knee and hink "hmm mibbe next year".

We take a left and find oorselves at the bigger fountain, ancient and covered in carved figures. It's frosty as well, its taps long turnt aff and its deep sinks hollow and peelin.

We find a bench. Ah say "we" but at this point Steven's leadin and ah'm followin lit a bad smell. He starts tricklin sunfloo'r seeds tae the groond.

'So is that aw ye wanted tae talk aboot?' Steven asks. 'Jist the moose?

'Aye, ah didnae know whit tae dae wi him. Ah'll find a field or suhin, or failin that Glasgow Green.'

Steven laughs and shakes his heid.

'He can take in aw the concerts and that, eh? The Green Days, Keane, LaKyoto, Feels Like Thursday.'

Ah try no tae but a laugh forces its way oot.

'You've made some ae them up.'

'Aye ah might've.'

A family walk by. The wee lassie drags a blue plastic sled behind her, and the dad keeps turnin roond tae make sure she's keepin up. She wis clearly too optimistic leavin the hoose, the snow's no been lyin aw month. And it's no gonnae snow this week either. It'll be pishin ae rain this weekend but ah shid be back tae the right timeline by then.

'Noo tell me if ah'm pryin intae yer business,' Steven says. 'But ah thought mibbe ye wur huvin... other troubles. Ah hope ye don't mind me askin, urr ye still in the hotel? Ah hope ye're no sleepin rough?'

'Naw,' ah reassure him. 'Ah've got a place sorted. Wi a friend. Kind ae. How? Dae ye want me tae come and stay wi you?'

Ah cannae help masel. Ah cannae help giein him wan mair opportunity tae show his true colours. Tae show that he's the kind ae person ah've convinced masel he is.

'Och, naw,' he says. 'Ah've experienced livin wi a teenage lassie. Daisy comes back tae stay fur a weekend every noo and then and it's a hale... drama. Even choosin whit tae watch on the telly becomes a nightmare. Ah widnae pit either ae us through that. But, if ye wur needin help, ah could speak tae some folk ah know. And gie ye some numbers tae phone. Help ye get back on yer feet.'

It hits me suddenly, lit a punch tae the chest, the reason why ah feel so shite aroond Steven. It's no an act, it's no fur anyone else tae see. He's jist sittin in the park wi a gurl he hinks is needin help and offerin it expectin nuhin in return. The reason ah feel so shite is cause ah know ah widnae return the favour. Ah widnae dae this, whit he's daein. Ah'll gie money tae charity, aye. Ah'll pit money in a homeless guy's cup, aye, but ah willnae go tae the shop tae buy him suhin tae eat. Wid ah see somebdy in need and actually go oot ma way tae help them? Wid ah phone in favours tae help somebdy that threatened tae sue me the first time we met? Wid ah help somebdy if it meant ah really hud tae be selfless?

No. Selfish Daisy, everyone **knows it.**

The pigeons at oor feet urr soon joined by a couple ae ducks, and they aw peck at the seeds thigither, constantly swappin positions. Ah keep ma hawns in ma pockets tae keep them warm and tae keep Squeaker oot ae harm's way.

'That's really nice ae ye,' ah say. 'But ah'm awright. Fur the minute anyway. Maist folk widnae bother aboot me. Ye must hink thur's suhin wrong wi me.'

'Ach, naebdy's perfect,' he says. 'We aw need a hand sometimes. Ah'd hate tae hink ae… somebdy ah care aboot goin through anyhin like… whitever it is that you're goin through. Well, when ah say *somebdy*, really whit ah mean is ma stepdaughter, Daisy. Ah dunno if ah mentioned her name afore.'

'Ye did, aye. Ah like that name.'

'And if she wis in trouble, ah'd like tae hink thur'd be somebdy oot there who'd help her. No that she'd take charity fae anybody! Far too proud fur that. Ye probably hink ah'm some soppy auld geezer, eh?'

'Aye, a wee bit.'

He chuckles and ah nod, feelin awkward. Ah'm hearin hings that urnae meant fur me. Ah'm hearin the words ae a deid man, telt tae a stranger, in a meetin that shidnae huv happened. A meetin whaur baith folk might no be here come Sunday mornin.

Steven's got a gid technique wi his thumb, flickin the seeds so they land a gid five feet away. A couple ae the pigeons leave the main smatterin and head further back tae get the single seeds tae themsels.

'Ye can tell me aboot her,' ah say. 'If ye want.'

Steven keeps talkin, starin vacantly aheid. Soon it feels lit he's furgotten aw aboot me and the burds as well.

'The first time ah met Daisy, we hud dinner thigither. Me, her and Annie. Ah wis hittin oot wi aw ma auld stupit jokes and that, tryin tae impress her. The kind ae jokes we tell on the lorries tae make the days pass quicker. Thur wis wan, ah'll no repeat it, but turns oot it wis… no very PC. It went doon like a lead balloon ah'll tell ye that. Honestly, ah jist… hudnae gied it much thought afore that. Fae then on, ah tried tae be mair, y'know, aware ae these kind ae hings.

'But ah hink that's mainly whit she remembers aboot

that night. She can smell shite a mile aff as well, so ah couldnae explain it away. And ah scrubbed under ma nails harder than ah'd ever done afore. She wisnae gonnae see dirt under ma nails, ah wis sure ae that.

'She's so clever but she disnae want folk tae know it. Cause then folk might expect hings fae her. And she makes these snap judgements aboot folk. Tae be fair, she's usually right. Ah even lied aboot ma job cause ah wis feart ae whit she'd hink. D'ye like that? Me scared ae her. Ah suppose nae matter whit ah said, ah wis iways gonnae be the guy tryin tae come in and take her father's place. Ah hink… thur wis nuhin ah could've done tae make her gie me a chance.'

Ah look away fae his face. When ae see folk greetin, it jist makes me want tae cry as well.

'Ah didnae want tae take anybody's place. Aw that happened wis ah met a woman, ah fell in love wi her, and it turnt oot she hud a teenage daughter. And ah wisnae gonnae run away jist cause ae that. It wis jist that first impression, eh? She knew straight away, ah wisnae the man her father wis. Obviously. He wis clever, like her. And me? Ah mean, ah can get a few questions right on *The Chase* but like, *University Challenge* may as well be in another language.

'So, that's it, fur noo at least. Jist a bad first impression ah suppose. Like ah say, a few years' time, once she's oot ae uni, ah hink ah might get a second chance. When ah saw ye again, Rose, ah willnae lie, ah thought "och it's that lassie fae the hotel, keep clear ae her, she's no right." But then ah thought… "don't judge her on that first impression, Steve".'

He tips the remainder ae the seeds tae the groond. A few land on the back ae wan pigeon and it spins, tryin tae eat them aff itsel.

Steven stands up, wipin away crumbs and seeds fae his fleece.

'Ah shid go,' he says. 'Sorry aboot aw that. Ah'm meant tae be helpin you and here's me talkin yer ear aff like ye're ma, whit d'ye call it, psychotherapist or whitever.'

Ah stand as well, no sure whit tae dae or say.

'Don't apologise,' ah say, pattin him on the arm. 'Ah'm glad ah could help.'

'Ye huv ma number if ye get in bother. Will we see ye on Saturday fur the game? Ah hink Davie wants tae buy ye a pint tae say sorry fur no comin tae yer aid when ye fell last week.'

'Mibbe. In fact, wait, ah think me and ma pal urr huvin a party. It's gonnae be great. You shid come. You and Davie.'

'Och, naw, ye don't want me there wi aw the young yins.'

'There'll be auld folk there. Really auld folk. Ancient folk. You'll look lit Macauley Culkin compared tae them. Come on, Steven, ye can miss wan game.'

Come on, Steven. Ye either miss this game or ye miss ·
every game.

'Naw, naw,' he says. 'Ah'll be in ma seat like usual,
don't you worry. Ah like the games aroond Christmas
time, it's iways a gid night and folk urr cheerier. Ah'm
hopin someday Daisy'll come tae a game wi me, actually.
By that time, ah'll know every rule and can explain hings
tae her and she'll hink ah've actually got some knowledge
aboot some hings. Well, that's ma hinkin anyway.'

Ah look tae the sky, thick wi hard, white clouds, and
ah get wan ae they realisations. *Epiphanies*, if ye're feelin
fancy. Why dae ah no jist tell him whit's gonnae happen
on Saturday night? Jill niver said ah wisnae allowed tae
tell him. Yotta didnae say ah couldnae tell him. Aw this
runnin aroond tryin tae stop him fae bein at the pub
efter the game when ah could jist explain hings and
that'd be it.

Aw ah need tae say is: Steven, ye're gonnae huv a heart
attack on Saturday, so stay at hame. Stick yer feet up, huv
a cup ae tea and watch *Catchphrase*. He'll hink ah'm aff
ma heid, even mair than he awready does, but it'll pit
that wee bit ae doubt in his heid. Ah jist hope the world
disnae explode as a result or suhin. Ah like tae hink Yotta
wid swoop in and stop me daein anyhin universe-endin.
But then again, she's no exactly Doc Brown.

'Rose? Urr ye awright?'

Ma heid drops back tae the world aroond me. We've

walked tae a bin, whaur Steven deposits the empty seed bag.

'Aye,' ah say. 'Jist drifted away there. Listen, ah might no make it tae the game on Saturday. Ah'd like tae meet up again though, huv another chat. If that's awright?'

'Eh, well, ah suppose, mibbe…'

'Great. Ah'll gie ye a text. See ye later, Steven.'

Ah walk wi purpose, eager tae hear Jill's reaction when ah tell her ah've worked oot a simple solution tae aw oor troubles. She'll probably be annoyed she didnae hink ae it first, back when she needed tae save her pal Freddie.

But as ah walk, ah see a familiar face. A *really* familiar face. Daisy's face. Ah pull the hood ae ma jaiket up and keip ma heid doon as ah pass her. She's wi Frances. She's talkin and gesturin wi her hawns and Frances is noddin along.

Once there's enough distance between us, ah turn and watch.

Ah watch as she realises that she's aboot tae walk by Steven.

Ah watch as she moves tae the other side ae Frances tae pit some distance between him and her.

Ah watch Steven's face light up when he sees her.

Ah watch Steven wave and call her name.

Ah watch her roll her eyes and laugh.

Ah watch Frances's face, tryin tae tell Steven she's

sorry wi her eyes.

Ah watch Daisy go back tae tellin her story a few seconds efter they've passed him.

Ah watch Steven as he pretends no tae mind, shakin his heid and smilin.

Ah watch, until ah turn ma back and ah cannae watch anymair.

40

'Absolutely not,' Jill says.

She throws her bag doon next tae me and takes up her seat on the other side ae the coffee table. We've gotten intae a routine in these past few days. She goes aff tae work, ah lie on the couch until she gets back. Interspersed by the odd wander or time travel related activity. Who'd huv thought ah'd be missin uni coursework. Daytime telly really takes yer soul fur a walk and leaves it in the middle ae naewhaur.

'Ah willnae lie,' ah say. 'Ah wis hopin fur a bit mair optimism. This is honestly a great solution.'

'It's no. Ye cannae tell him ye're fae the future.'

'How no?'

'Because ye've *nae idea* how he'll take it. At best, he'll hink ye're a crazy person and he'll run a mile. At worst, he'll hink ye're a *really* crazy person and phone the polis fur yer ain safety. Ah'm no huvin polis at ma door. Nut, ye're no tellin him anyhin.'

Ah consider dramatically turnin aff the telly but that seems a bit far wi *DIY SOS: The Big Build* on. Ah've got right intae it since ah went back in time, the wan bright spark in the daytime schedule. Some ae it's hard tae watch but it's iways worth it in the end.

'Huv ye considered that he might believe me? That he might avoid the game entirely, and that'll be us sorted.

He'll survive, ah'll get ma face back and you can go back tae yer… whitever it is ye got up tae afore ah turnt up.'

'Ye're no tellin him, end ae discussion.'

She reaches ower, grabs the remote and sticks the volume up. She's absolutely terrified ae the polis. Ah mean, mair than maist folk. We aw get that wee bit ae anxiety when they pass ye in the street, whaur ye suddenly feel guilty cause they might've seen ye steal a traffic cone three days afore, but Jill's properly scared ae them. Ah'm startin tae wonder whit she did tae create this new identity ae hers. Whitever she did, ah don't fancy huvin tae go through it if ah cannae get back tae the right timeline.

Ah take oot Jill's laptop fae the lower ledge ae the coffee table. Her eyes quickly look at me afore goin back tae the telly.

'Don't be lookin up anyhin weird, mind,' she tells me. 'Ah'll pit a child lock on it if ye're no sensible.'

She uses Internet Explorer which says a lot aboot her personality. She's banned me fae goin on Facebook, Twitter, Instagram—basically any gid sites in case it messes wi the universe or whitever. Ah hink tweets fae a time traveller could dae decent numbers, as it happens.

Ah go on Glasgow Live and huv a swatch at some ae the stories. Ah play a game wi masel. Ah find the bad yins, the crimes and that, and try and work oot if ah could've stopped them if ah'd known aboot them in advance.

Man assaulted in broad daylight on Argyle Street

Potentially. But if naebdy on Argyll Street stopped it, the attacker wis probably the kind ae guy ye don't get in the way ae. Ah suppose ah could've thrown a bucket ae cauld water on him.

Multiple car windows smashed in South Side in seemingly random attacks

That wid've involved me travellin aw the way tae the south side, which is a mission away. And the south side is full ae folk that huv convinced themsels that the south side is better than the west end, and let's face it, thur jist kiddin themsels. Car windaes urnae important in the grand scheme ae hings anyway.

Mice cause havoc in Glasgow Pub

Hull-o. Ah read the article quickly, ma heart racin. Ah scan the block ae text, skippin past the stock photo ae the pub, lookin fur phrases lit "closed indefinitely" or "was burned to the ground to be safe". Unfortunately, ah get tae the end ae the page withoot these phrases. The last paragraph reads:

Health and Safety Officials on the scene confirmed there was no infestation, and these mice were

domesticated. "Probably someone with buyer's remorse,"
one official said. "And they decided to let them run free.
We just hope they do it in a more appropriate place next
time."

The Harp & Hound Tavern will resume normal
opening hours for the rest of the busy festive period.

Ah knew ah shid've went doon some lanes in the toon
centre and picked up a few wild rats. It's gonnae huv tae
be Plan B efter aw.

Squeaker squeaks fae ma cardigan pocket, buried
under the duvet.

'Whit wis that?' Jill asks.

'Aw, nuhin, ah jist yawned.'

She eyes me suspiciously, but in the end goes back
tae watchin the telly. Ah reach ower and pit the volume
up a couple ae notches. Then ah dip ma hawn intae ma
pocket and drop a quarter ae a digestive in there tae keep
Squeaker occupied.

On the screen, Nick Knowles walks towards the
camera tae wrap up the programme in a nice wee pre-
prepared speech aboot community and people helpin
people, while ah try and pit masel in Steven's shoes and
work oot how ah wid want it broken tae me that ah'm
gonnae die soon. Ah'm gonnae tell him he's gonnae die
on Saturday, but ah'm no gonna tell him who ah really
um. Thur's only so much ye can ask a person tae believe.

Later that night, when Jill goes tae bed, ah text Steven. She isnae the boss ae me and she's definitely no the boss ae time travel.

Awright Steven, Rose here. I know you're sick of me but I REALLY need to see you. It's properly important this time and after it I'll never contact you ever again. I swear on my life. Meet me tomorrow? Pls?

Ah sit and wait fur his reply. Fuzzy orange light comes in through the blinds fae the streetlights. Every noo and then, the smell ae the dough fae Paesano wafts intae the flat. It surely adds at least twenty grand tae the market value ae this place. *And* it's next tae that fancy private school fur blazer kids wi Range Rover parents. They can huv Paesano pizza every day for thur lunch if they fancy, whit a life. At ma high school, ye wur lucky if Gordon's burger van turnt up and there wur aw kinds ae rumours aboot whit he pit in they burgers. Ah mean, pittin ground up kids in burgers *seems* unlikely but then, so does time travel.

It's light when ah wake up. The telly's been on aw night. Jill's leccy bill willnae thank me but ah'll be gone by the time it wings its way through the letterbox.

On the screen, two presenters urr laughin and jokin and pretendin they enjoy bein up at this time ae day. Gettin oot yer scratcher at four in the mornin every mornin must drain the very soul fae ye.

Ma hawn crawls lit Thing fae *The Addams Family* ower and under the duvet, lookin fur ma phone. Squeaker nips ma fing'rs and ah assume that's his way ae wishin me a gid mornin and also askin whaur his breakfast is.

Eventually ah realise the phone's sittin on the table and ah must've been responsible and decided no tae sleep on top ae it lit normal. That wis iways wan ae Mum's big worries. That ma phone wid catch on fire durin the night and set ma bed on fire. She wanted me tae keep it across the room. And yet, she wis iways makin the "is yer bed on fire?" joke when ah got up early on the weekends. Ye cannae huv it baith ways, Mum.

Ah bring the phone tae ma face. Ma sticky, haufawake eyes struggle tae handle the light fae the screen. They refocus and ah see a text fae Steven. It came in the early oors ae the mornin.

I'm sorry, no time at all this week... But I'll see you at the hockey on Saturday?

41

Convincin folk tae dae hings is suhin ah'm gid at. *Here, huv this Jägerbomb, ah've awready paid fur it noo, so ye might as well.* See?

Ah once convinced ma pal Imogen that *It's a Wonderful Life* wis originally made in colour and they changed it tae black and white durin the seventies tae make it seem mair lit a classic.

When ah wis seven, ah convinced ma mum tae buy a muffin maker fae Tesco's efter ma da hud telt me it wis too expensive. She said "whit did yer da say?" and ah said "he said ah shid see whit you say". We made muffins wan time, they wur shite, and it sat in the cupboard fur ten years cause ma mum couldnae bring hersel tae bin it.

Ah wis on the train tae Edinburgh withoot a ticket last year and ah convinced the conductor that ah wis the social media gurl fur Scotrail. He felt that sorry fur me he let me away withoot buyin a ticket *and* gave me a full-size KitKat on the hoose.

Noo, ah sit inside the Toby Jug in the centre ae toon, huvin convinced Steven tae meet me the day. He didnae want tae, fur whitever reason, but when ah texted him sayin ah wid come and meet him on his route, he relented. Well, the Toby Jug is near enough on his route. Ah suppose he disnae want his workmates seein the mad lassie that threatened tae sue him.

But it's quarter past three, and we hud arranged fur three. He probably jist got caught up at work. It's cauld and icy, these must be the worst kind ae conditions fur dealin wi wheelie bins. And then if wan tips ower, ah mean, there's another twenty minutes added tae yer shift while ye huv tae pick it aw up.

But noo it's quarter tae four, and he's no sent a text tae say he's runnin late. An auld man is eyein me up fae the bar. It must be wild livin in the mind ae an auld man, hinkin that ye've actually got a shot wi a lassie thirty years younger than ye. Or mibbe he realises he's no got a shot, he jist hinks he's allowed tae creep oot anyone he pleases cause it's a free country. Then again, ah've nae idea whit ah'll be lit when ah reach that age. *If* ah reach that age.

It's half four. Ah text Steven.

You on your way?

And ah continue tae wait. The auld man at the bar wisnae eyein me up, as it happens. Ma table hud a copy ae the Daily Record sittin in amongst the food menus and he came up and took it wi a nervous smile.

No one *fancies* you, doesn't *matter which face* you've got.

By five, ah've been through four pints and two plates ae nachos. But the nachos urr the same as every other place, wi aw the cheese on top. Is it too hard tae pit some nachos, then some cheese, then some nachos, then some cheese, and so on? Ah swear, ye take three really cheesy nachos fae the top ae the pile and then it's dry city fur the rest ae the bowl.

It's quarter past five when Steven responds.

I'm really sorry, Daisy. I'll see you on Saturday.

Ma convincin powers seem tae be wainin. Ah must've lost ma powers in this body, lit Tony Stark withoot his suit.

Jill's hame afore me fur once. She's in a gid mood and it's a nice change, no huvin a tense atmosphere in the livin room as we sit and watch telly and pretend ah'm no a weird time traveller that she's desperate tae get rid ae. She's a weird time traveller tae, of course, but she seems tae huv furgotten her roots.

'Listen,' Jill says, crossin the room and pittin a lamp on. 'Ah know it's been a tough time fur ye since ye… came back. But ah jist want tae say… ah hink ye're dealin wi everyhin really well.'

She must be a mind reader or suhin.

'Aye?' ah say. 'Thanks, Jill. Fur helpin me, and lettin me stay and that. Saves me hotel jumpin at least. And, aye, ah dunno whit ah wid've done if ye hudnae been there tae explain hings.'

'No worries. Dinner's on me the night, by the way. What d'ye fancy?'

'Jill, ah think you know.'

Efter another Paesano run, we sit and eat withoot talkin, watchin the telly as the night draws in. It's become clear Jill disnae go oot efter work very much. If creatin a hale new identity is hard, ah huv tae imagine makin a hale new set ae friends is jist as bad. Ah don't mind the borin nights in since ah know ah've got a real life tae go back tae but... whit if this wis yer life? Work aw week, wi wan night oot at the weekend tae look forward tae, if ye're lucky. Unless Jill's hidin her real life in the shadows until ah'm gone. Mibbe she disnae want me tae see the kind ae folk she associates hersel wi.

'Ye know whit, Jill,' ah say, slidin the waistband ae ma lounge pants doon below whaur ma belly sticks oot the maist. 'Ah'll miss these nights thigether.'

'Really?'

'Mibbe in that way ye miss an auld pal fae school cause ye only remember the gid times and no the bad. And it's a bit ae a rest fae the real world, nae pals wantin me tae go oot every night.'

'Ye don't like goin oot wi yer pals?'

'Aw naw, ah love goin oot. It's jist... nice tae huv a break.'

When ah woke up this mornin, the first hing ah thought aboot wis whit happens if ah don't make it back. Ah pictured the scene: everyone bein sad fur a few weeks… then realisin hings urr better withoot me. Frances and Sam no huvin tae hide thur wee secret night oots thigether. Siobhan bein relieved she disnae need tae huv any mair therapy sessions wi me, rippin ma pages oot her notebook. Mum losin me and Steven in the same week. Ah need tae get back fur her, if naebdy else.

How long before someone ***even notices?*** Could be weeks.

Ah iways go on nights oot, even when ah don't want tae, even when ah'm hungover, even when ah know it's gonnae be terrible. Because… if ah'm no there…

*They'll realise how much **better** it is **without you.***

Ah'm iways there.

When we aw sat wi Lorraine Kelly and got her tae dae a Buckie bomb wi us? Daisy wis there.

When Lizzy McRae hud tae go tae A&E when she fell at pre-drinks but turnt up at Shenanigans at hauf eleven? Daisy wis there, she went ootside and got her fae the taxi.

When Frances got aff wi that guy that wis definitely in wan ae the Fast & Furious fulms but naebdy could say exactly who he played, jist that he wis definitely a wee bit famous? Daisy wis there, she wis the matchmaker.

And noo Daisy isnae anywhaur. Well, ah suppose she

is. Ower there in Hillhead, wonderin why her favourite jumper's went missin. Ah've awready lived that week though, it wisnae aw that excitin. And noo the only person who knows ah'm Daisy is Jill.

Except…

Ah keep ma eyes on Jill as ah slide ma phone fae the table and open up the text ah got fae Steven earlier.

I'm really sorry, Daisy. I'll see you on Saturday.

Jill looks the picture ae innocence. Ah type 141 intae ma phone tae make the call withheld, then copy in Steven's number. Ah hit the call button.

Brrrr brrrr. Brrrr brrrr.

Jill's jaiket is hung on the back ae the livin room door. Suhin in the pocket starts vibratin.

42

We baith hear it, vibratin in the jaiket pocket, rattlin against the door. Jill skips across the room tae fetch it. Ah hit the end button afore she can answer, under the duvet, keepin ma eyes on the telly. She frowns at the phone, but soon dismisses it and pits her phone in her pocket and sits back doon.

'Who wis that?' ah ask.

'Dunno,' she says. 'Withheld.'

That mornin ah woke up and ma phone wis on the table insteid ah bein lost somewhaur in the duvet. Ah knew ah wisnae that responsible. While ah slept, Jill must've went on ma phone, deleted Steven's number and changed it tae hers.

Ah could really be daein wi a visit fae Yotta right noo. She might huv found oot some info on Jill. And ah could gie her Squeaker tae keep safe. He's asleep the noo but ah don't fancy another tantrum fae Jill if she realises he's still in the flat.

Ah'm suddenly really warm, sweat gatherin on the instep ae ma foot. Ah let a few minutes go by afore ah speak.

'Could ah borrow yer laptop again?'

Jill nods and gestures tae it on the table.

'Aye, but remember, nuhin dodgy.'

Nuhin dodgy, whit a cheek! Ah open the laptop and

angle the screen away fae her. Ah dae a Google search fur Elouise Green. Glasgow Live and Daily Record articles urr the highest results.

Family plea for missing daughter, Elouise Green, to return home

Search continues for missing Glasgow woman, Elouise Green: 14 days since she was last seen alive

Police question boyfriend of missing woman Elouise Green

Ah click on the third link.

Missing Glasgow woman, Elouise Green, 27, has not been seen or heard from since disappearing while on a night out on March 4th.

But reports today confirm Elouise's boyfriend, Daniel Urquhart, 26, was questioned AGAIN by police this week in relation to her disappearance.

Daniel appeared with Jack and Yvette Green, Elouise's mum and dad, in multiple viral appeal videos following her disappearance last month. Daniel was home at the couple's flat on the night of March 4th when Elouise disappeared.

However, sources close to the family say police

are once again questioning Daniel, in relation to an unknown woman who visited the couple's flat three weeks prior to Elouise's disappearance. Neighbours reported hearing shouts and a heated argument, although the police were not called at the time. We do not know currently how this relates to Elouise's disappearance.

Daniel was not available for comment at the time of publication.

The light fae the telly flickers on Jill's face.

'Jill,' ah say. 'Since we're pals noo, ah wondered if ah could ask ye… and if ye don't want tae answer, nae bother… but ye know when ye first went back, whit happened? Cause, lit, ah'm no sure if ah believe whit ye telt me at Hard Rock.'

She side-eyes me withoot turnin her body ma way. Then her eyes go back tae the telly. But she starts talkin.

'Ah obviously didnae realise whit hud happened tae me,' she says. 'Ah went hame lit normal. Ma key didnae work in the lock so ah chapped the door. Thur wurnae any spare keys and ah didnae wake up tae find masel starin back at me. That wis a lie, ah'll admit that. Ah jist wisnae sure if ah shid tell ye the full truth. It's no lit ah wis expectin tae meet ye that day, it wis quite a shock tae me as well.

'Anyway, ma boyfriend answered the door and he widnae let me in, obviously. Ah thought he wis jokin but he kept pushin me away and ah got really angry. Ah started cryin and that and he jist shut the door on me. Ah—Elouise—wisnae in that mornin. Ah'd been stayin at ma pal's flat. Dan niver telt me aboot this lassie that turnt up at oor door. He obviously didnae want tae scare me.

'So ah walked back oot, ragin, hinkin aboot how that wis me and him done and ah'd need tae move oot. Ah wis ready tae go tae ma parents, and that's when ah saw ma face. Jill's face. That wis the moment Elouise died and Jill wis born.'

She speaks wi nae real emotion in her voice. The way she told her story the first time roond, at the Hard Rock, it seemed practised, and this disnae, but ah dunno whit tae believe. Ah suppose she's tried tae separate hersel fae that time. Tae disconnect fae anyhin that she left behind. No tae huv tae worry that her boyfriend wis a suspect in her disappearance.

'Whit happened when ye went tae yer parents?'

Again, she stares at the telly. Her fing'rs run through her hair, occasionally raisin a split end tae the light fae the telly fur inspection.

'Ah wisnae lyin aboot that,' she says. 'When we first met. Ah telt ye no tae go and see yer mum, and trust me on that. Don't go and see her. The way she looked right through me. Don't pit yersel through that, Daisy. She'll no know ye. And it'll break yer heart. It'll break yer heart.'

Jill stands up and moves tae the door. She chucks the telly remote at me and it lands softly somewhaur in the duvet. She disnae want me meetin ma mum and she disnae want me tellin Steven the truth.

'Ah'm away tae bed,' she says. 'Sorry if ah'm no tellin ye mair. But that time in ma life, the hings ah hud tae dae… ah'd rather leave it in the past. We'll get ye back hame. Don't worry aboot that. Ye'll no huv tae go through whit ah went through, ah promise. Night.'

She leaves the room and closes the door ower. That leaves me tae ma ain thoughts. Leaves me tae hinkin aboot Mum cryin on an appeal video, beggin me tae come hame. Her goin through the rest ae her life niver knowin whit happened tae her daughter. Mibbe other folk widnae miss me, but she wid.

Probably not *going to be that* **sad** *though is she?*

Ah've spent ma hale life tryin tae get away fae ma mum but if ah'm bein honest, ah wish ah could see her right noo.

Ah wish ah could make hings right.

43

Ah huvnae been back tae East Kilbride library in years. No that ah don't read. Ah've got ma price alerts set on Amazon so ah know when new books go doon under a fiver on Kindle. Ah cannae stand hardbacks like, how am ah meant tae lug them aboot? And ah know ah'm no meant tae use Amazon cause thur bastarts, but naebdy needs tae know.

Jill started at six this mornin so ah didnae huv the chance tae tell her whaur ah wis goin. It's no lit ah can see Steven again since she's deleted his number fae ma phone. Either *he* messages *me* or ah'll no see him til the game on Saturday. Ah envy him in some ways, no bein on any social media sites. Ah've let Squeaker loose in the flat but ah shid be back afore Jill anyway. It's only two days til D-Day.

It's a Thursday so Mum shid be here. Thursday, that's Mum's day at the library. Thursday's wur ma da's day tae pick me up fae school. Ah iways hated Thursdays.

*He was **late** on **purpose**, he didn't want people to **see you** were his.*

Ah push through the heavy doors. A waft ae book smell greets me. Auld, crisp pages that huvnae been turnt fur years. *Aw these stories urr jist sleepin until someone wakes them up,* Mum wid say. Sharp winter light ducks through the windaes and lands softly on the shelves.

Shiny, new computers line one wall, barely any wires tae be seen danglin below the clean, plastic desks.

A wee gurl nearly takes me aff ma feet as she dashes across the flair in front ae me, graspin a Peppa Pig book so tight she's nearly pulped the hing.

'Daaaaad,' she shouts. 'They've got it! They've got it!'

The da comes roond the corner, white t-shirt tucked intae his Springsteen blue jeans. He pats her on the heid.

'Well goan gie it tae the lady then,' he says, noddin towards the counter. 'You can dae it.'

She scrunches up her face and loosens her grip on the book.

'Come on, Finny,' the da says. 'Ye're a big gurl noo; it's nuhin tae be scared ae.'

The scrunch on her face turns intae a pout and we're aboot five seconds away fae a full-blown greet fest. Then ma mum appears.

'Hullo there, darlin,' she says tae the gurl. 'Ooh, that's a really gid book ye've picked oot. That's wan ae ma favourites.'

The wee gurl freezes and stares at her feet.

'D'ye want tae come wi me up tae the desk so ah can check it oot fur ye?'

The gurl twiddles a metal button on the front ae her dungarees. Mum raises her hawn flat tae the side ae her mooth and whispers.

'And thur might be some sweeties up there tae.'

The gurl follows close tae ma mum's heels and they make the short trip tae the desk. The gurl passes ower the book and Mum and the gurl's da huv a chat above her heid. The gurl looks lit she might keel ower if she disnae get the book back *immediately*. So it's lucky Mum passes the book back sharpish and the lassie drops tae the flair and starts readin on the carpet.

The gurl disnae want tae leave but eventually the da prises her away and takes her oot the door. Mum catches me watchin.

'Ye awright there, hen?'

Ah approach the desk slowly.

'Aye, ta,' ah say. 'That wis nice ae ye. The wee gurl wis feart til you turnt up.'

She shrugs aff the compliment.

'Aw, that's nuhin. That's the best part ae the job. And ye can niver tell. Wan wee gesture ae kindness can huv big consequences. A few seconds oot ma day tae make hers. Ah've a daughter masel so ah know whit it's like. No that she listens tae me anymair. Anyway, can ah help ye wi anyhin?'

Her and Steven fair drop me intae conversation at a moment's notice.

Only to make fun of you. Poor excuse for a daughter.

'Eh, aye. Ah wis lookin fur a book.'

She smiles and nods and looks intae ma eyes. Thur's

258

nuhin there. Nae recognition. Nae supernatural ability tae know who her daughter is, nae matter whit she looks lit on the ootside. She disnae know me. And thur's part ae me that's glad.

'Wan aboot,' ah say, 'this lassie… and thur's time travel.'

'Is that aw ye know aboot it?'

'It wis… blue.'

She swirls her mooth aroond and rolls her eyes in thought.

'Might be *The Time Traveller's Wife*?'

Ah click ma fing'rs.

'Aye, that's the yin. Well done, Mum.'

Ma heart catches in the back ae ma throat. We stare at each other, neither ae us knowin whit tae say next. Wid she believe it? Wid she believe ah'm her daughter? Is the universe aboot tae explode?

'Did ye jist call me Mum?' she asks.

Ah laugh.

'Aye… huv ye no heard that afore? It's jist the patter these days. Ah call everybody "Mum". Lit, if ah say tae ma pal, geez a fag, and they gie me yin, ah'll say "cheers, Mum".'

This hus tickled her and she smiles as she looks up the book on her computer. Ah wish ah could make her smile lit this mair. Ah will. Ah'll dae it mair when ah'm masel again.

'Ye aw sorted fur Christmas?' ah ask. 'Bet yer daughter's hard tae buy fur.'

Ah've no hud a shift in Boots in a while so ah need tae practise the checkoot patter tae keep masel sharp.

'Eh, maistly,' she says. 'Jist need tae get the last wee bits and bobs.'

Ah suppose it wis unlikely she wis gonnae tell me whit she's gettin me fur Christmas. Her fing'rs move quickly ower the keyboard. Ah niver knew she could type so well.

'Whit's yer name?' she asks.

'D… Rose,' ah say.

'D'ye want a minute tae hink aboot it?'

'Naw, sorry, it's Rose.'

'And dae ye huv a library caird, Rose?'

Ah dunno why ah'm still here. Mibbe ah jist enjoy bein aroond her and no arguin. It's lit bein able tae wipe the slate clean, fur real. Nae past between us, nae reason fur us tae start shoutin at each other.

You shout at *her* and she doesn't deserve it.

'Ye know whit,' ah say. 'Ah've left it in the car. Jist wait here and ah'll away and get it.'

'Awright, hen. Ah'll get yer book and meet ye back here. Sound gid?'

'Sounds gid… Mum.'

She laughs again, loud and warm, and ah walk away. Ah look back ower ma shooder as ah get tae the door.

She's still chucklin tae hersel. We've niver been wan ae they families that say "ah love you". That's other families, the wans on telly. Ah dunno if ah've ever said it oot loud tae her. Ah'm sure she knows.

44

The train back tae Glasgow Central rattles on. We pass through Thorntonhall, Busby, Crossmyloof, basically aw the stops wi daft names, and ah hink aboot whit ma mum said. *Wan wee gesture ae kindness can huv big consequences.* Except ah cannae seem tae change anyhin as Rose. Ah'm stuck repeatin history insteid ae bein able tae change hings. This isnae lit *Back to the Future* at aw. They got it totally wrong.

Ah get aff the train and wander in nae direction in particular. How dae ye know who needs a gesture ae kindness though? It wid be a lot easier if folk hud big red flags above their heids that needed help. If folk wid jist shout out. If folk stopped bein so selfish and jist demanded it. No that *ah* wid ask fur anybody's help, mind you.

Ah find masel haufway up Buchanan Street. Ah take a seat on a bench and feel the cauld wood against ma erse through ma jeans.

People pass by. A street sweeper pushes his cart. On the side ae the cart, a holographic sticker ae a Santa hat reflects purple and green. A young lad on a BMX comes flyin past and ma hale body tenses as he sails ower a frosty patch ae pavement withoot slowin doon.

'Christmas in Glasgow eh? Nae better place tae be fur it.'

Ah turn tae find Yotta next tae me, appeared oot ae

thin air. She's eatin a mint Cornetto. Her hair's been dyed again, bright green and red streaks.

'Is it no a bit cauld fur an ice cream?' ah ask.

'Daisy, the flavour ae ice cream disnae change dependin on it bein summer or winter. If it's tasty at wan time ae year it's gonnae be tasty at another. Don't let the weather decide whit ye eat.'

'Ah'll take that on board. Anyway, whaur huv ye been? Ah've been stumblin aboot clueless.'

'Ah've been aboot. Don't worry, ah'm iways keepin an eye on ye. Well, no when ye go tae the toilet and that.'

'And urr ye here fur a reason? Ah can only assume ah'm daein awright otherwise ye'd huv jumped oot and stopped me?'

Yotta wears bright red suede boots. Ah dunno how she walks in them in this weather but ah suppose the weather disnae mean a hing when ye can appear and disappear whenever ye like.

'Ah didnae say ye've no made mistakes. Ah'll jump oot if ye're gonnae get hit by a bus, that kind ae hing. Otherwise ah go fur the hawns aff method. Oh, and tae remind ye tae niver tae trust Velcro. It's a total rip aff.'

Ah reach oot and touch her arm. She's real. Well, ah can touch her anyway. No quite sure whit senses ah trust these days.

'Huv ye managed tae find oot any mair aboot this gurl ah'm livin wi? Jill O'Brien slash Elouise Green? She got stuck in her other body. Is that gonnae happen tae me?'

Yotta disnae seem fussed at ma predicament. She's people watchin while she licks a drip ae mint chocolate that's escaped ower the side ae the cone.

'Ah'm still lookin intae it,' Yotta says. 'Ye ken whit it's like at this time ae year. Folk windin doon fur Christmas. Can barely get a response fae the higher ups at the best ae times. Ah widnae worry though.'

'Ye widnae?'

'Naw.'

'Cause ah'd really prefer if ye said it properly.'

Her tongue leaps oot ae her mooth and sweeps away a splotch ae chocolate fae the corner ae her lips.

'Say whit?'

'That ah'm no gonnae get stuck here. That ah'm no stuck as Rose forever. Please jist promise me that.'

'Daisy,' she says, 'or Rose, whichever ye like best. Ah can tell ye, withoot a shadow ae a doot… that everyhin's gonnae turn oot jist fine. Mind ah telt ye, thur's order tae the universe. Ye shid huv noticed by noo.'

She reaches ower and holds ma hawn in hers.

'Dae ye really hink ah'd let anyhin bad happen tae ye?'

'Well, aye,' ah scrunch ma face up. 'Ah mean, ye've awready sent me back in time and gave me a stranger's face. And then ye've offered me pretty much nae guidance. If this is yer job, Yotta, ah honestly hink ye're gonnae get demoted.'

'That's fair. Ah suppose ah could gie ye a wee suhin, tae keep yer spirits up. Right,' she says, and does another sweep ae the street. 'See that wife there?'

Ma eyes follow tae whaur she's pointin. A woman in a red anorak leans against the ootside ae the Apple shop.

'She's hinkin aboot daein suhin silly,' Yotta tells me. 'Ye might want tae huv a wee chat wi her, see whit gid it does. Remember, Daisy, it's no chaos that's brought ye tae this point. Oh, and can ah ask ye a favour?'

'Whit?'

'Pit that in the bin fur me?'

She disappears afore ma eyes. Ah unclench ma fist tae find a Cornetto wrapper tucked tightly intae ma palm.

Ah make ma way towards the woman in the red anorak.

45

Ah lean against the wall beside her, tryin tae look lit ah'm mindin ma ain business and ah didnae walk ower here on purpose.

Her hawns jiggle inside her pockets. She watches the people passin by, her lips partin every few seconds, lit she wants tae ask wan ae them a question. She's pale but who isnae at this time ae year.

Ah clear ma throat. 'Cauld the day.'

She disnae turn her heid or respond.

'Ah suppose that's a stupit hing tae say, eh? It's December, course it's gonnae be cauld.'

She keeps lookin straight aheid but says, 'Aye, it's cauld. It's iways cauld.'

It's no much ae an icebreaker but at least it's suhin. Mibbe Yotta's on the wind up and this lassie's wan ae her colleagues at the time travel… agency or whitever it is.

'Ah dunno aboot you, but see when it's this cauld?' ah say. 'Ah cannae be bothered wi anyhin. Don't feel lit daein anyhin apart fae sittin aboot and watchin fulms. Jist in wan ae they moods, aw the time.'

The gurl pulls her hat further doon ower her ears.

'Mibbe's it's sad,' she tells me.

'Aye, ah'm definitely sad awright.'

'Naw… SAD. S.A.D. Seasonal Affective Disorder. Ye might huv it.'

'Aw. Mibbe it's that as well then.'

A couple come oot the Apple shop. The guy takes a new iPhone oot a carrier bag and the lassie takes a photie ae him holdin it tae his face lit a prize.

'Ye know whit a symptom ae SAD is?' the gurl asks me. 'Cravin carbs. Can ye believe that? How is that fair? On top ae everyhin else, feelin lit ye're worthless, feelin lit thur's nae point tae gettin dressed in the mornin, on top ae aw that, cravin carbs. The only hing ye can be bothered actually daein is stuffin yer face wi cinnamon swirls and brownie bites.'

'Here, ah love they brownie bites,' ah say. 'Mibbe ah dae huv SAD.'

'Ye don't,' she says, finally lookin me in the eye. 'Believe me, ye'd ken.'

'Fair point.'

She takes a packet ae chewin gum oot her pocket and offers me a bit. Ah take it and crunch it between ma teeth. Ah sook in air and it burns ice cauld at the back ae ma throat.

'Ah huv a light,' she says, 'in ma room. It's meant tae help.'

'Help how?'

'It's meant tae simulate daylight. So nae matter whit time ye wake up in the mornin, the sun's awready up.'

'Does it work?'

'It's better than nothin, but the sun's the sun, ken whit

ah mean. A wee lamp next tae yer bed isnae the sun. Ye look oot the windae and it's still pitch black and ye don't get confused aboot whether the sun's fallin oot the sky and landed on yer bedside table.'

Ah nod. Another busker sets up in the middle ae the street. She hus a hale entourage wi her. Wan ae them pits up a sign: *CD's - £8*. The busker starts playin and her breath fogs up and flies away aroond her.

'Ah suppose Scotland's bad fur it,' ah say.

'Ah dae sometimes wonder,' the gurl says, 'if mibbe ah shid move tae Australia or America or suhin. A place whaur the sun shines nae matter whit.'

'Whit's stoppin ye?'

She snorts.

'Ah lot ae hings. Money fur a start.' She takes oot her phone fae somewhaur inside her jaiket. 'Ma fuckin iPhone broke and it's ancient, so they'll no even fix it. They say it's cheaper tae buy a new yin. Ah asked tae speak tae the manager and ye shid've heard the way he spoke tae me.'

She makes as if tae chuck the phone intae the bin but holds back at the last minute. It goes back inside her jaiket and her hawns go back inside her pockets.

'Ignore me, ah'm jist moanin fur the sake ae it,' she says. She looks me up and doon, consderin her next move. Then she extends a hawn tae me.

'Ah'm Kelly, by the way.'

'Rose.'

Check me oot, no even stutterin or hinkin aboot sayin Daisy.

The busker keeps strummin and singin and noddin at the folk who drop a few pennies intae her case.

'D'ye ever get that sense,' ah say tae Kelly, 'that ye're right whaur ye're supposed tae be?'

'How d'ye mean?'

'Lit, everyhin that's happened so far in yer life hus lead ye tae a particular place at a particular time. That mibbe everyhin that's happened afore wis meant tae happen so ye'd end up in the right spot?'

She chews on the chewin gum, lettin it dangle oot her mooth fur a second then sookin it back in.

'No often, naw. Whit aboot you?'

'Ah'm honestly no sure ae anyhin anymair. It's a nice thought though, isn't it?'

'Aye. Ah don't hink ah've reached ma desination yet, though. Ah'm miles aff.'

Kelly picks up her backpack fae the groond and slings it ower her shooder. She tucks her scarf deep inside the front ae her anorak and zips it up.

'Cheers, Rose,' she says. 'Ah'll be seein ye.'

'Take it easy, Kelly.'

As ah watch her walk up the street, ah see her take a crumpled bit ae paper fae her pocket and chuck it in the bin as she goes. Ah feel lit ah've no done enough. Yotta said she wis gonnae dae suhin silly, but ah didnae even find oot whit. Ah try and hink ae suhin tae shout oot, but ma mind goes blank. Whit gid did that dae?

Useless *as usual.*

Ah tried tae help. But then mibbe that wisnae enough. Ye either help somebdy or ye don't. Ah shid've done mair, asked her mair questions. Ah shidnae huv let her walk away. Whit other option did ah huv? Follow at her heels, waitin fur her tae slip up so ah can save the day? Thur's only so much folk want tae hear fae a stranger.

Urr ye watchin Yotta? Ah tried. Ah'm tryin.

That's when ma phone vibrates. A text fae an unknown number.

Hiya Rose, hadn't heard from you so just wanted to check you're doing ok

Steven, yer timin couldnae huv been better.

I'm awright thanks Steven. Listen, I REALLY need to speak to you. In person. This'll be the last time I ever ask a favour. Tomorrow?

46

It's Thursday night. Me and Steven urr meetin in the Botanic Gardens the morra. He's meant tae die the day efter. Ah'm gonnae meet him and tell him he's gonnae die. Ah'm gonnae ask him tae trust me and no go tae the game. The thought keeps comin tae ma mind that if someone telt me ah wis gonnae die if ah went tae a certain place, ah'd only want tae go tae that place mair. In fact, ma mum used tae use they kind ae scare tactics tae stop me goin oot and drinkin at parties durin high school. Ah might've drunk but ah least ah wisnae oot… y'know. No that Mum ever gave me "the talk". Actually that wis probably wan ae the nicest hings she ever did, sparin me that.

Ah decided tae keep Jill in the dark aboot ma meetin wi Steven.

'Ah hink ah'm startin tae get sick ae Paesano pizza,' she says.

'You take that back,' ah say, liftin another slice. 'Disgraceful statement.'

Ah insisted on Paesano fur tea again since, if everyhin goes tae plan the morra, this is oor last supper. The way ah see hings pannin oot is roughly…

- Ah tell Steven no tae go tae the hockey
- He disnae go tae the hockey, thus no dyin
- Yotta appears at some point tae take me hame

Thur's some hings ah cannae quite predict though. When will Yotta appear? If it's Friday, grand. If it's Saturday, ah'm usin the last ae ma winnins on a room at the Hilton on Friday night and aw ah can eat aff the room service menu.

And when ah go back, when will ah wake up? The mornin efter ma work's night oot? That means Steven's funeral will niver huv happened. Which means ah niver made an erse ae masel, which is a huge bonus. It also means ah niver dragged Robert tae the purvey, which is a shame.

Ah take a crispy bit ae crust and feed it tae Squeaker in ma pocket. Jill definitely caught a glimpse ae him earlier but ah hink she's finally accepted that he's nae danger tae her.

'Jill, did ye niver hink aboot… sendin yer parents a message?'

'Lit whit? Horse's heid in the bed?'

'Lit… a postcaird sayin ye're fine and livin in some remote village in Guatemala or suhin.'

Ah couldnae even tell ye exactly whaur Guatemala is but ah've iways liked the sound ae it.

'It's jist gonnae bring mair questions,' she replies. 'Whit if they trace the postcaird back tae me? And how dae ah explain that? They'll hink ah'm wan ae they sickos who taunts families efter a tragedy.'

'Ah'm sure thur's some way ye could let them know

ye're safe. Ye cannae jist leave everybody behind lit that.'

'Wid ye jist fuckin drop it?' she raises her voice, and ah feel lit ah'm finally gettin a glimpse at the real her, *Elouise*. 'Daisy, you don't know a fuckin hing aboot it, awright? Ah didnae ask fur this. Ah tried tae save Freddie, right, ah did everyhin ah wis meant tae. Ah talked tae him, ah did every wee trick ah could hink ae. But it didnae matter. He crashed the car anyway. Thur wisnae a second chance fur either ae us. Ah didnae belong there anyway. Ah hud tae leave.'

'Say nae mair,' ah say. 'Ah'll keep quiet and jist… eat ma pizza.'

Ah sit through the rest ae the night wi her, til she goes tae her room aboot nine. Ah owe her fur lettin me stay but it's no exactly a time traveller's guild we've got goin here.

Ah pack a bag-fur-life wi ma stuff efter Jill's left fur work. Ah've iways wanted tae leave behind a dramatic note as ah leave somewhaur and this might be the only chance ah get.

Dear Jill,

Thanks for letting me stay. I hope someday you find a

way to let your family know you're safe. They deserve it. I might see you on the other side. You might not recognise me, but I'll be the gorgeous, full-bodied one that looks a bit like Rose.

Catch you another time,
Daisy x

Ah wander doon Great Western Road in nae hurry at aw. Ah don't know why ah'm so nervous aw ae a sudden. Tellin somebdy ye know the future and that the future involves them dyin on Saturday seemed easy last night, but noo ah'm no certain ah'll be able tae get the words oot in any way that makes sense.

The Botanics urr quiet at this time ae year, but thur's still folk walkin aw sorts ae dugs in the white-tipped grass. The dugs approach each other and say hullo as easy as anyhin while thur owners gie each other raised eyebrow smiles and make small talk. If sniffin yer pal's erse is small talk fur dugs, ah wonder whit thur big talk is like.

Ah pick a bench at random and sit doon. A figure approaches fae the right.

'Mind if ah sit here?' they say.

'Actually ah'm meetin someone.'

'Someone special ah bet?'

It's Yotta. She sits doon wi a flask ae tea and start pourin hersel a cup. Upon second smellin, it's actually hot chocolate.

'D'ye hink this is a gid idea?' she asks.

'Word travels fast. Is it against the rules? Is the universe gonnae implode when ah tell him?'

She takes a sip fae her cup.

'Ah'm no sure,' she says. 'Ah'm new tae this as well, remember? But ah don't hink the universe implodes, naw. Naw, ah'm sure they've got failsafes fur that kind ae hing.'

'Ye're as much use as a chocolate teapot, ye know that?'

'Ye say that, but ah'd eat a chocolate teapot in a minute. It'd be delicious. A paper teapot, noo that wid make mair sense fur the purposes ae yer phrase. Cause ye couldnae eat that and it wid also be nae gid fur pourin tea.'

Yotta passes me her cup and ah take a drink. Thur's definitely an additional, alcoholic ingredient in there. Ah finish the cup and pass it back.

'So ye're sure this is whit ye want tae dae? Tell him the truth?'

'Huv ye got any better ideas?'

'Hmm, jist the paper teapot hing. Ah'm no the ideas woman. Ah jist follow orders.'

The cap gets screwed back ontae the flask and she

tucks it inside her bag. A dug runs up tae us and Yotta gies it a clap.

'Ah wis startin tae hink ah wis the only yin that could see ye,' ah say.

Yotta scratches behind the Cockapoo's ears, it's long, curly fringe restin ower its eyes.

'Ah'm seen when ah want tae be seen,' she says. 'Anyway, ah best be aff. Ah'm readin this great book aboot gravity… ah cannae pit it doon. Enjoy yer meetin.'

And wi that, she disappears again, lit a human screen wipe. The dug tilts its heid at the sudden lack ae attention and walks aff.

At the top ae the hill, ah spot Steven comin doon the path.

47

'Freezin, eh,' Steven says.

He joins me on the bench.

'It is aye,' ah say. 'It's weather fur ducks… that don't like water and enjoy the cauld.'

He chuckles and pulls oot a pack ae fags. He offers me yin but ah decline. Whitever alcohol wis in Yotta's tea is still swimmin aboot inside me and warmin ma chest.

'Thought ye only smoked at work?' ah ask.

'*Usually* ah only smoke at work,' he says. 'But it helps wi ma nerves.'

'Nerves? Whit ye nervous fur?'

He looks me in the eyes and ah realise how run doon he is. How his hawns cannae keep still.

'Well, meetin young lassies in the park disnae dae well fur ma disposition. Rose, ah'm no gonnae lie, this'll need tae be the last time we talk. Annie, she… saw the last text ye sent and we got intae this big argument. Surprisingly enough, she isnae keen on the idea ae me meetin lassies ah don't know and tae be honest, she's right.

'Ah know ye need help and that but ah've got they numbers here,' he takes a scrap ae paper oot his pocket. 'Ye can phone any these numbers, night or day, and ye'll huv somebdy tae speak tae. Somebdy, eh, qualified tae help. No somebdy that talks a lot ae shite like me.'

Ah take the piece ae paper fae him.

'Ah understand,' ah say. 'Steven, ah didnae want tae pit ye in this position. Ah swear, this'll be the last time ah ever need tae speak tae ye. Thur's jist suhin ah need tae get aff ma chest. Suhin ye really need tae hear. And ah jist hope ye believe me when ah tell ye it.'

'Right, well, ah'm aw yours,' he says, then checks his watch. 'Fur aboot twenty minutes. And then ah need tae shoot back. Annie's decided she really wants me tae try again wi Daisy this Christmas so we're gonnae surprise her and take her oot tae lunch the day. Apparently, some lassie came intae her work the other day that reminded her ae Daisy and noo she's convinced it wis some kind ae sign.'

'Today?'

'Aye, we're gonnae drive ower tae her flat.'

Ah search ma memory. Mum and Steven niver turnt up at ma door fur a surprise lunch. Ah wid remember that. Ah wid definitely remember that.

'You sure?'

'Aye,' he laughs. 'Ah mean, she'll probably tell us tae f… well, she'll probably make up an excuse so she disnae huv tae come, but wur gonnae try.'

Ah play wi the bit ae paper and pit tiny wee tears intae it. Ah remember Frances tearin up her beermat. Ah've no got time tae worry aboot this. Anyway, of course he didnae go tae ma flat. Ah'm jist aboot tae tell him aboot his death the morra. That's why they niver came tae ma door. Because ah saved him.

'When ah tell ye this,' ah say, 'ye're gonnae hink ah'm a looney.'

'Wid it help if ah said ah awready hink ye're a looney?'

'A bit,' ah laugh. 'Ah jist… ah'm no sure how tae phrase it.'

Steven's smile fades. He rubs his chest, face tensed wi pain. Then he starts hittin himsel harder, jabbin sharply at the top ae his ribcage.

'Ye awright?' ah ask.

'Aye, jist a bit ae pain. Ah get it sometimes. On ye go.'

'Right, so, y'see the hockey game the morra…'

He starts coughin and it gets worse fast. He beats his chest again. His face is goin a deep red.

'Steven,' ah say, 'urr ye awright?'

He attempts a nod but he cannae manage it. He tries tae stand but he stumbles and lands on his backside.

'Jist breathe,' ah tell him, gettin aff the bench. 'Jist breathe.'

He grabs his left arm wi his right but he cannae speak. His eyes start tae close ower and his heid goes roond in circles.

Ah lower the rest ae him tae the deck, flat oot on his back, eyes tae the sky.

A swish ae fabric and a woman appears at ma side. A jogger that's stopped tae see whit's goin on.

'Is he okay?' she asks.

'Ah don't hink so,' ah say. 'Ah hink he's huvin a heart attack.'

The woman produces her phone fae a zip in her leggins and dials 999. Ah kneel by Steven's side and pat him on the face.

'Jist stay awake,' ah tell him. 'Steven, look at me.'

His eyes stare straight through me, up at the clouds and the burds makin a racket above us.

Oh Daisy** you've done it **again.

This isnae right. This isnae how hings wur supposed tae happen. This cannae be happenin.

48

Ah hear the jogger on the phone tellin the ambulance tae come tae the Botanics. Ma knees ache, crunchin on the solid pavement.

'That's the ambulance on the way,' ah tell Steven. 'Ye jist need tae stay awake fur a wee bit longer. Awright? Steven, stay awake, aye?'

Thur's suhin resemblin a nod fae him. Mair folk urr gatherin roond noo. The woman on the phone kneels doon.

'Is he conscious?' she asks.

'Jist aboot.'

'Jist aboot,' she repeats intae the phone.

'Everyhin awright here?' a guy says.

The crowd's swellin roond us, people comin fae aw sides ae the park tae see whit the drama is.

'Everyone jist get back,' ah shout at them. 'He needs space, jist get back, please.'

Ma voice cracks on "please". Ah wipe ma eyes so ah can see clearly and try and get Steven tae look at me again. Ah dunno whit tae say. Ah try and mind whit folk say on the telly when someone's in trouble.

'Speak tae me, Steven,' ah say. 'Jist let me know ye're still wi me.'

Ah pat him on the cheek. His eyes blink a few times quickly. He swallows and tries tae speak.

'Tell,' he says. 'Tell…'

'Tell?'

'Tell Annie,' he gasps.

That's aw he can manage. His mooth closes ower lit he's got nae breath left and it's too much effort. He keeps blinkin though. Ah look up at the woman who phoned the ambulance.

'How long till it gets here?' ah ask.

'They say a few minutes,' she says.

'Tell them tae fuckin hurry up.'

'Ah hink they're goin as fast as they can.'

'Jist fuckin… tell them!'

She turns her back on me and speaks quietly intae the phone. Ah look back at Steven. In his hawn, his packet ae fags. Ah take it aff him.

'These'll be oor wee secret,' ah say, and a tear breaks fae ma eye and lands on him. Ah wipe it aff his jaiket. 'This wisnae meant tae happen lit this. Ye're meant tae huv another day. Ah dunno whit ah did wrong. Ah… ah thought they wid stop me, if ah wis gonnae dae anyhin that might… Ah'm sorry.'

He looks me in the eye. He disnae try tae speak. Ah hold his hawn in mine and squeeze it. His urr rough, nae rings, but callouses dotted on his palms still.

'Ah'll tell Annie ye love her,' ah say. 'Ah'll tell her. And then you can tell her later on, eh? When ye're back on yer feet? Steven? Does that sound lit a plan? Steven?'

His grip loosens on ma hawn. His eyes urr still open but they don't focus on anyhin. Thur's shouts fae somewhaur in the distance. Fitsteps approach and the crowd clears. Paramedics crouch by ma side, thur uniforms green and clean.

'Miss,' wan ae them says, 'can I ask you to move out the way please?'

Ah jump tae ma feet, terrified ah'm gettin in the road.

'His name's Steven,' ah tell them.

'Is this your dad?' the other wan says.

'Naw, he's… he's ma…'

He's ma stepda.

Ah cannae be here. Ah cannae go tae hospital wi him. No when ah'm still Rose.

'Steven, ah'm sorry.'

Ah turn and run. They shout efter me, but ah don't turn back. Ah can barely breathe through the tears but ah keep goin.

Ah run aw the way up the hill, past the kids' play park, doon the back ae the park and oot the gates. A kid swings in between his mum and da's arms, feet tucked tight tae stop them draggin on the groond. Ah run tae the bridge on the River Kelvin and rest on the side, feelin lit ah'm gonnae throw up.

A man wi a dug tries tae ask me whit's wrong so ah run again. Ah keep runnin along the river til ma lungs cannae take it anymair. Ah slow tae a walk and feel the tears burnin the skin aroond ma eyes.

Folk urr comin doon the path so ah go right tae the riverbank and sit doon.

'Yotta?' ah say oot loud. 'Yotta, please help me.'

Ah wait and listen tae the sound ae the river rushin past. A dug barks behind me on the path, aff the leash and runnin wild.

'Yotta, ah need yer help. Ah need ye tae take me back. Ah couldnae dae it. Ah tried, ah swear. Suhin went wrong. It happened today, jist noo. Ah dunno whit changed but it's happened. Please. Ah'll wait here aw night if ah need tae. Jist please take me back.'

Still nuhin.

So ah wait.

And ah wait.

And ah wait.

It's no long afore it's dark and it's jist me and the water.

Part Five

Train-Wreck

49

'Who's there?'

Ah bang on the door again and again until she opens it.

'Well, look who's back,' Jill says. 'Didnae hink ah'd see your coupon again efter that note ye left. Whit's wrong? Ye look frozen stiff, whit's wrong?'

Ah stumble intae the flat and basically collapse ontae Jill. She awkwardly takes me intae her arms and ah cry intae her shooder. Ah feel her strokin ma hair.

'He's gone,' ah say, the fabric ae Jill's hoodie mufflin ma voice. 'Steven. He hud a heart attack or suhin in the park. He died afore the paramedics could dae anyhin.'

'Aw Daisy,' she says, 'ah dunno whit tae say.'

We stay lit that fur a while, the front door still open behind me, the two ae us swayin on the spot.

'But ah don't understand, ah thought he died the morra night? Efter the hockey?'

'Ah don't know,' ah say, wipin ma snot ontae her hoodie. 'Ah jist… ah don't know. Ah must've changed suhin. Which is whit ah wis tryin tae dae but… ah've still fucked it aw up. Ah couldnae stop it. And noo… ah'm stuck here. Like you.'

Jill pulls back and takes ma heid in her hawns.

'Ah'm sure ye meant that as a compliment,' she says. 'But look. Daisy, look at me. Ye're no stuck here.'

'Ah um. Of course ah um. Ah'm jist lucky ah've got you, Jill, otherwise ah'd be properly rooked.'

'Naw, ye're no listenin tae me. Ye're no stuck here. Ah wis only gonnae break this oot as a last resort but… thur's somebdy that can help us.'

'Who?'

'Ah cannae tell ye yet. But we need tae go. Right noo. Dae ye trust me?'

'Well, ah don't huv much choice.'

She grabs her keys fae the table. Jist afore she leads us oot, she runs back intae her room, lit she's forgot suhin.

Ah take ma chance and run intae the livin room. Ah pit ma face tae the flair and swatch under the couch.

'Sorry ah furgot ye, buddy.'

Squeaker runs oot tae meet me. Ah pit him in ma pocket and rush back tae the front door. Jill comes oot her room a few seconds later.

'Let's go.'

We get in Jill's car. Ah've nae idea whaur wur headin but ah'm jist glad tae be on the move. The dark ootside the windae obscures every buildin and hauf the streetlights seem tae be broken. We definitely go ontae the motorway at some point but soon we're on backroads in a part ae Glasgow ah'm no sure ah've ever been tae.

'Can ye tell me yet?' ah ask.

She disnae take her eyes aff the road.

'We'll be there soon.'

'Why did ye no tell me aboot this person afore? Why urr they a last resort? And how come you've no used this last resort fur yersel?'

'Honestly, Daisy, we'll be there in a few minutes. Jist haud tight.'

We rumble on. The silence is daein ma nut in and ma thoughts urnae worth listenin tae so ah flip through the stations til ah find yin playin REM. *At My Most Beautiful.* Ah hink it's rainin ootside noo. The droplets fizz and streak across the windae, blurrin even the buildins close by.

'He could barely even speak,' ah say. 'At the end. He wis laid oot on his back, and thur wis only strangers aroond him. No even anybody that cared aboot him or anyhin. Ah mean, thur wis me, but he didnae know ah wis me. And even if he did know it wis me, that'd probably huv made hings even worse.

'And he wanted tae tell ma mum suhin but he couldnae even say it. Couldnae even get the words oot. Aw ah keep hinkin is… ah really don't know why ah needed tae see that. Lit, if that's whit ah wis brought back sixteen days fur, tae see him dyin. Whit wis the point? Tae hurt me. Tae make me feel lit absolute fuckin scum. Aye, well done, job done.'

Jill keeps her eyes on the road aheid. She disnae huv the maps on her phone open, she's so familiar wi this route wur taken.

'Whit wis it like?' ah ask her. 'When yer pal died? When Freddie died?'

She exhales through her mooth.

'Ah felt… pretty much they same way ye're feelin noo, Daisy.'

Ah space oot fur a while, daein ma best tae stare through ma reflection in the windae intae the dark city ootside.

A few minutes later, ma heid starts bumpin aff the windae mair often and ah realise we've left any real roads and urr on some kind ae dirt track. Branches scrape and tick aff the car.

'Whaur urr we?' ah ask.

'It's jist up here,' she says. 'Aye, this is it here.'

She stops the car and pits the handbrake on. Ah go tae ask her again whaur we urr but she's awready opened the door and hus got oot intae the rain. Ah follow behind her.

Jill leaves the heidlights on. Thur the only source ae light aroond. We're in the middle ae some wids, trees thick and deep aw aroond us. Ah follow Jill tae whaur the car lights reach furthest. Up aheid is darkness. Every other which way is darkness.

The car lights make the rain look lit watery static that

ye can reach oot and touch. It soaks through ma jaiket. Ma toes urr frozen in ma shoes, submerged in a muddy puddle. The light patter ae the rain on the groond is the only sound oot here.

'There,' Jill says, breakin the silence and pointin aheid, past whaur the light can show us whit's oot there. 'Go on, look fur yersel.'

Ah step aheid ae Jill and peer intae the distance. Goin forward lightly, no sure ae whit's beneath ma feet, ah try tae make oot anyhin in the dark. Then thur's a sound. Like a metallic clickin.

Ah turn roond. Jill stands a few metres back, pointin a gun in ma direction.

'Sorry, Daisy.'

50

The rain seems louder noo. Smashin and poundin on the leaves above us and creatin huge splashes aw aroond.

'Whit urr ye daein?' ah shout through the rain.

'Whit does it look lit?' Jill replies. 'Ah'm sorry, Daisy, but it needs tae be this way.'

'Ye're gonnae kill me? This isnae *Goodfellas*, Jill, ye cannae jist kill folk.'

'It's the only way. It's the only way hings can go back tae the way they wur.'

'Fur you, mibbe. Whaur did ye even get a gun fae? We're in Scotland, fur fuck's sake, ah've niver ever seen yin afore. How dae ah know it's real?'

She smiles and wipes rain and hair oot ae her face.

'Daisy, d'ye know how hard it is tae create a hale new identity? The kind ae hings ye huv tae dae? The kind ae folk ye huv tae get in wi? Ah tried tae explain it but ye widnae listen. Gettin a gun is easy compared tae that, babe.'

'So ye're in wi some dodgy folk, urr ye? Is that meant tae scare me?'

She points tae the gun wi her free hawn.

'Naw, this is meant tae scare ye. Ye've nae idea whit ah went through. Whit ah hud tae dae tae leave Elouise behind. Tae build a life oot ae nuhin. Ye'd huv probably been deid awready if it wisnae fur me.'

Ah hink aboot shoutin fur help but whaurever we urr, it's deserted. Ah cannae even see wan light oot there. Even if somebdy did come, how wid ah explain it?

'Ah wis daein awright on ma ain,' ah say.

'Oh aye, ah mind ye turnin up on ma doorstep wi naewhaur else tae go, tellin me how awright ye wur daein. Ah didnae huv a Jill tae run tae when ah got sent back.'

Ah make an attempt tae look up at the sky. Ma face gets pelted wi rain and ah don't see anyhin. Nae landmarks tae tell me whaur ah am. Jist blackness aw aroond. Thur's too much distance between me and Jill fur me tae try and rush her and get the gun oot her hawn. If it's even real.

'So ye shoot me and then... whit?'

'Then ah go back tae bein Jill.'

'Whit happens when they find me?'

She laughs and wipes the rain oot her face again. Her mascara seeps ootwards fae her eyes. The light fae the car makes the rain sparkle and it's almost as if thur's lights blinkin oot in the trees fur a few seconds. Wan catches ma eye, brighter than the others. Ah look back at Jill.

'Find ye?' she says. 'Ye're no even a person here, Daisy, same as me. Aw that's gonnae happen is a deid body ae a young lassie'll be found in the wids. She disnae huv any family tae claim her. She disnae huv any friends. Fur aw intents and purposes, she disnae exist. The polis'll hink ye're some foreign lassie that's been shipped ower and dumped. Naebdy's gonnae make a fuss. If ye're lucky, ye might jist make a true crime podcast. But ah widnae count on it.'

She closes wan eye.

'Ah'm no gonnae lie, though,' she says. 'Ah've niver shot anybody afore. If ye stay still, thur'll probably be a lot less pain.'

'Yotta!' ah scream. 'Yotta! Help! Now! Please!'

'Yotta? Whit's Yotta?'

Ah look left. Ah look right. Jist rain and darkness and that wan light in the distance that's too far away tae help me noo. Ah take Squeaker oot ma pocket, slowly crouch and let him go intae the grass. He disnae seem sure at first then scuttles away tae find a new hame.

'Yotta's... it wis jist a shot in the dark. So... urr ye gonnae dae it or no?'

Ah take a step towards her. She takes a step back.

'Better dae it quick,' ah say, 'or we're gonnae huv oorsel's a wee wrestle in the mud, Jill.'

Ah take another step. Another yin backwards fur her.

'Come on, then. Whit urr ye waitin fur?'

'One mair step,' she says. 'One mair step and ah'll dae it.'

Ah take one mair step. Then ah break intae a run towards her. She takes aim.

BANG

51

Ah open ma eyes. Ma cheek rests on suhin fuzzy. It feels lit ah've been asleep fur days. Or underwater, finally comin tae the surface.

Ah sit up and look aroond. The subway carriage is empty and static. A faint orange glow hings in the air. The doors urr closed and ootside thur's too many shadows tae see the station sign. A chipped bit ae paint sits under ma fing'rnail and ah don't remember how it got there...

Ah spot ma reflection in the opposite windae. Ma face stares back. Ma actual face. Ah'm Daisy again.

'Hullo gorgeous,' ah say, and rush tae inspect masel, runnin ma fing'rs ower ma features. 'Aw, ah've niver seen anyhin so sexy in ma puff. Daisy, ye're a sight fur sair eyes ah'll tell ye that.'

A figure strides doon the platform in an orange hi-vis vest. The doors slide open wi a shudder. Yotta steps inside and sits doon across fae me.

'Gid tae see ye again, Daisy,' she says. 'Ye suit that face.'

'Whaur the fuck wur you?' ah ask.

'When?'

'When? When Steven died. Or how aboot when Jill pu'd a fuckin Luger on me.'

'Aw. That.'

Her hawn dives intae her pocket and produces a bag ae Mini Cheddars. She offers the bag tae me.

'Ah'm no hungry,' ah say, reachin in and takin a few.

'Ah wis surprised at that turn ae events,' Yotta says. 'Her huvin a gun, didnae see that comin. Ah've niver seen a gun in real life afore. Huv you?'

'Well, ah huv noo, aye.'

'Aw, course, she shot ye.'

'She did.'

'It didnae hurt though, did it? Ah got ye oot in time?'

Ah look doon and inspect masel fur bullet holes. Ah'm dressed in ma gid purple jumper, the yin ah stole fae masel.

'Last hing ah remember wis her pullin the trigger.'

'Well, ye're here in wan piece, ye cannae deny that. Ye're welcome.'

'Forgive me if ah don't rush tae thank ye, Yotta.'

She shrugs. The crisp bag's empty and she tucks it inbetween two ae the subway seats. She sooks the cheddar dust aff her fing'rs.

'Fair,' she says. 'But in ma defence, ah really didnae hink she'd kill ye. Ah mean, honestly, who hus a gun in Scotland!'

The doors urr still open fae when Yotta got on. The stairs which wid take me tae freedom urnae that far. Ah dunno whit station we're at but it disnae matter, ah could find ma way hame easy. Ah could definitely make it tae the stairs.

'It'll probably interest ye tae know,' she says, 'ah found

oot aboot Jill fae ma colleague. Or *Elouise Green*, as she used tae be known. The long and short ae it is... she got sent back, lit yersel, cause there wis somebdy she needed tae save. A friend ae hers called Freddie. The only problem wis... she didnae try tae save him. She decided she liked bein a different person. She didnae want tae go back. She didnae get on wi her family; she hud been plannin on dumpin her boyfriend. She chose tae make a new life fur hersel and the rest be damned. So, the higher ups decided tae leave her be, rather than bringin her back tae her real life. Which is a funny kind ae punishment if ye ask me, they gave her exactly whit she wanted.'

Ah get up and rush tae the doors. Afore ah can make it on tae the platform, the doors slam in ma face.

'Ye cannae run away fae this, Daisy.'

'Jist wanted some fresh air,' ah say.

She smiles and gestures fur me tae sit back doon. Ah still cannae tell whether Yotta likes me or hates me or is jist daein her job. It's a bit lit ma relationship wi Siobhan. Is she really wantin tae help me be a better person or wid she rather be at hame? Does Yotta even huv a hame? Whaur does she go when she's no appearin randomly?

Ah flump masel back doon on the seat.

'Ye widnae get far if ye went up they steps,' Yotta says. 'Plus whit's the hurry? Time disnae exist here.'

'Naw?'

'Check yer watch.'

'Ah don't wear a watch.'

'Right, well, if ye'd been wearin a watch, it wid be stopped noo.'

'That's no that impressive, same hing happens when the battery runs oot.'

She sighs.

'Ye're hard work, Daisy. Wur sat here in the secret subway station under the Clyde and yer still lookin fur hings tae complain aboot. Ye're hard work indeed. Anybody ever tell ye that?'

'Ah've heard similar. So whit noo? Ah've got ma face back so… can ah go back tae ma ain life?'

'No quite.'

Ah punch the seat. Below the orange fur, thur's a crumple as ma hawn digs in.

'How no? It wisnae ma fault. Ah tried. Ah wis meant tae huv another day. It's no ma fault he died.'

'Did he?'

'Did he whit?'

She takes a notepad fae her pocket and makes a note wi a pencil. This is aw too similar tae bein in a session wi Siobhan.

'Daisy, ah hope ye understand that ah don't huv much choice in the matter. On the bright side, ah *am* gettin better at transferrin items fae wan body tae the other.'

She stands up and walks towards the doors. They

open fur her. Ah try tae follow but find ah'm stuck fast tae the seat.

'Wait,' ah shout. 'Let me oot.'

She looks back at me.

'Ah need tae send ye back again.'

52

Yotta moves oot on tae the platform. The doors huvnae closed yet. Try as ah might, ah cannae shift fae the seat and reach them.

'Naw,' ah say. 'Ye cannae. Ye cannae send me back again. Ah'm no like Jill. Ah tried. Ah did. Please, ah'm no like her.'

'Exactly,' she says. 'And noo ye're gettin another chance. Tae dae us aw a favour.'

'At whit? Dae ah try and save Steven again? Please, ah'm no smart enough fur this. Ah'm no strong enough. Whit dae ye want me tae dae?'

'Ah want ye tae dae whit's right.'

The doors slam shut and the subway engine grinds tae a start.

'Oh, ye'll huv a new face,' Yotta shouts through the windae. 'We cannae huv two Daisys runnin aroond, and we cannae huv two Roses runnin aroond either. Happy travels.'

She gies the carriage a few slaps wi the palm ae her hawn. The subway leaves the station. It speeds up in a hurry and soon Yotta's left long behind on the platform. The carriage rattles through the black tunnels under Glasgow, gainin speed wi every second that passes.

Ah can stand fae ma seat noo but no fur long. We're goin too quick and ah fall back doon. Ah begin tae get dizzy. The darkness oot the windaes gets so black it turns tae streaks ae colour. Green and red fizz by on the other side ae the glass.

Then the colours swirl and jump and blend intae pictures, comin tae life on the tunnel walls ootside.

A young lassie diggin through her parent's bedroom drawers. Her mum discovers her, shouts at her fur snoopin and sends her tae her room. She's a nosey nelly. The gurl greets thick tears but disnae spill the real reason she wis in there. She wants tae find oot if her da's bought her mum the Christmas present she knows her mum really wants: a tiny clay hoose, painted in pink and sold in the fancy shop in toon. It wid match the paintin in the livin room perfectly. The gurl's been savin up her pocket money. The hoose wis naewhaur tae be found in the drawers, jist socks and boxers and little square sweetie wrappers. The year afore, her da got her mum a horrible necklace fur Christmas. The gurl knows her mum better than her da does. She deserves a thoughtful present.

The streaks move and change and light up a different scene.

The same lassie, slightly aulder, in the dark blue jumper ae her high school. She walks between classes, turns her heid and sees commotion at the end ae the corridor. Teresa Flanagan, fae S3, pushin a young laddie up against the lockers. She disnae want anyhin fae him, nae money or food, she's jist a bully. Oor lassie considers walkin on, pretendin she husnae seen, jist fur a second, then runs towards Teresa. The bully turns and the lassie lands her a swift whack, droppin her tae the flair. Mrs Gregory appears and the gurl is suspended fur a week. Later that night, when her da is screamin at her and tellin her she's embarrassed him, she disnae regret it.

The scene disappears, lit a shaken Etch-A-Sketch, and reassembles, the colours darker this time.

Oor gurl, aulder again, nearly a woman, comes hame and dumps her schoolbag at the front door whaur she knows her mum will get annoyed at her fur leavin it. Inside the livin room, her mum sits on the couch and tries tae hide her tears. The gurl's da, the mum's husband, the man ae the hoose, hus left them, away tae start a new family in Inverness. The lassie pits her arm aroond her mum, too shocked tae cry or throw suhin expensive at the wall. On the table, the animated Christmas ornament they picked up the week afore plays a tinny, cheery tune. A snowy scene wi a train daein laps. It'll jist be the two ae them this Christmas.

Thur faces blur and become jist colours again.

Ah try tae stand again, tae get closer and bring the pictures back, but the speed ae the subway increases. Ah fall backwards intae the seat and close ma eyes.

53

This time ah wake up aw by masel, nae rough hawns shakin me intae action. The carriage is hauf full. As soon as ah look at the people, they turn their heids and pretend they wurnae starin.

Ah raise masel tae a sittin position and look at the wife across fae me.

'Whit date is it?'

'Friday,' she replies, clutchin her bag a little closer tae her.

'The?'

'15th.'

'Ae December?'

'Aye. How long huv ye been asleep?'

'Too long,' ah say, standin up. 'Cheers.'

Ah get aff and see we're at Hillhead station. Ah run up the stairs and find somebdy tae cuddyback through the barrier.

Byres Road is cauld and hoachin. Ah look in the windae ae Starbucks. Ma third face ae the week. Green eyes. Hair longer than Daisy and Rose. Eyebrows in need ae a serious thread but ah can live wi that. Ma reflection's gettin further and further fae suhin ah recognise, each new face a little less lit me.

'Lily,' ah say tae masel. 'You can be Lily. Let's hope you've got better luck than Rose.'

Ah snap oot ae ma trance as an ambulance charges its way doon the road, cars comin tae abrupt stops at odd angles. The sirens scream inside ma heid and ah cover ma ears tae try and block them oot. In a second, thur gone. The ambulance is oot ae sight, the sirens still echoin aff the buildins in its trail.

Ah start runnin. As fast as Lily's legs'll take me. Ma feet slip and skite on patches ae ice. Folk shirk oot ma way wi thur shoppin bags full ae Christmas presents. Up aheid, ah see the ambulance race through a red light at the four-way junction and park up ootside the Botanic Gardens.

The sound ae ma feet on the cracked pavement replaces the sirens. Ma heid feels cloudy wi a time travellin hangover but ah power through. Ah pass by Fopp, the fancy doughnut shop, Oran Mor. The green man is there tae meet me at the junction luckily and ah rush towards the gates.

Turnin the corner, ah view the scene again, this time fae a different angle. The paramedics spread the crowd oot and kneel doon by Steven. Ah walk towards them while Rose turns and bolts up the hill.

Ah dae ma best tae get close but the paramedics keep everyone back. Steven gets pit on a stretcher and wheeled doon towards the gates. His eyes urr closed noo. His arms lie at his sides, shooglin wi every bump in the path. Ah walk close behind.

'He's got a… partner,' ah say tae the paramedics. 'She's called Annie. Yeese shid phone her.'

'Thanks for that, miss,' says the aulder gent.

'What about that lassie that ran away then?' the other wife says. 'Must have been his bit on the side.'

'This Annie won't be happy when she finds out.'

They baith laugh. Afore ah can tell them how wrong they urr, they're pittin Steven in the back ae the ambulance and tellin me tae stand back. Ah try tae get in.

'Family only,' the guy says. 'I'm sure someone'll get in touch with you.'

'Please,' ah say. 'Please help him.'

They slam the doors shut and drive away. The sirens go on again and ah clench ma eyes and ears lit that's gonnae dae anyhin tae stop the pain.

As the ambulance turns the corner, ah decide whit ah need tae dae next. Ah dunno if it's whit Yotta hud in mind but it'll make me feel a *lot* better.

54

'Ye on late the night?'

Ah sit in the back ae the taxi, askin the driver questions tae pass the time. The driver continues readin his paper. The radio plays some guys talkin aboot Scottish fitbaw. *Celtic, unbeaten in 69 games, travel to Tyncastle on Sunday looking to make it 70.*

'Depends,' the driver says. 'Usually aboot three, mibbe later wi aw the Christmas nights oot. Or however long ye keep me sittin here. Ye ken the meter's runnin, hen?'

The meter ticks up again tae eleven quid.

'Aye, ah know,' ah say. 'It willnae be long. Any minute noo.'

We go back tae silence. The rustle ae his paper as he turns the page reaches ma ears while ma eyes try tae shut fur a bit ae peace. Across fae whaur we're parked, folk awready drunk on six percent beers stumble intae the Philadelphia chippy and order the greasiest fritters this side ae the Kelvin.

'So is this some kind ae drama?' the driver says. 'Some boyfriend drama?'

'How'd ye mean?'

'Well, this car that ye've telt me ah need tae follow, is it yer man? Urr we goin tae his bit on the side's place? Cause that can turn nasty and ah'm no wantin any fightin near ma motor.'

'Ye can rest assured, nae boy trouble the night. It's a pair ae lassies actually.'

He eyes me up in the rear-view mirror, afore movin his attention back tae his paper.

'Oh right. Tell ye the truth, that disnae make me feel much better. Ah'm expectin a hefty tip fur ma discretion, ah hope ye're keepin that in mind.'

'Ah can barely hink ae anyhin else.'

Finally, ah see Jill and Rose appear at the end ae the street. They pass by the taxi and get intae Jill's car behind us. Thur engine starts up.

'That's them,' ah say tae the driver. 'Follow that car, please.'

'Whitever you say, Lily.'

He waits til thur at the junction and pulls oot intae the road. It wis easy tellin him ma name wis Lily. If ah'd telt him ma name is Daisy, he, lit every other taxi driver ah've ever hud, wid make a *Driving Miss Daisy* joke and ah'm really no in the mood at the minute.

The route is mair familiar the second time roond, but ah still couldnae huv guided us here on ma ain. As Jill's car disappears intae the trees, ah tell the driver tae stop and pass a fifty note through the hole in his protective screen. Yotta wis kind enough tae transfer ma money fae one body tae another, and she's let me keep ma phone as well.

'Sure ye don't want me tae hing aboot?' the driver says. 'Urr ye goin intae they wids on yer ain? Ye niver know whit beasties and that urr kickin aboot in the dark.'

'Naw, ye're grand,' ah tell him. 'It's a… surprise party in there.'

'Oh aye?'

'Aye, wi fireworks and that. If ye hear a bang, that's whit it is.'

'If ye say so. Bit wet fur that, naw?'

Ah get oot and start walkin intae the wids as he drives aff. The red ae the brake lights ae Jill's car urr jist aboot in sight, deep intae the trees. The boots Yotta's pit me in urr sturdier fur this terrain and ah make gid progress.

As ah get close, ah veer aff the track and intae the long grass. Ah go roond the ootside, tryin tae keep as quiet as ah can. Jill and Rose huv begun thur standoff. The rain rattles against the car, drownin oot the sound ae the swish and crunch ae the grass under ma feet.

Ah reach intae ma pocket and take oot ma phone. Ah point it towards Jill and Rose and start recordin. They talk and talk fur whit seems lit furever. Ah can barely make them oot on the screen, so ah turn the flash on. Ah worry thur gonnae see, and Rose seems tae catch sight ae the light fur a second or two, but she turns back tae Jill.

It's hard tae make oot whit part ae the conversation

thur at. Then ah hear:

'Yotta! Help! Now! Please!'

A few seconds pass and Rose runs right towards Jill. Fur the briefest ae seconds, ah'm sure ah see light flash in a pair ae eyes in the trees on the opposite side ae the car. Jill pulls the trigger.

BANG

And Rose disappears. Jill's blown back by the force ae the shot and lands on the car bonnet. The rain lashes aroond her as she searches the ground in front fur Rose's body. Ah turn aff the camera as she keeps searchin. She crouches doon and waves her hawns aboot, hopin tae catch some invisible limb. A scream comes fae her mooth, but it's impossible tae tell if it's tears or rain on her face.

Thur's a tiny part ae me that feels sorry fur her. She hud her hale life taken away and hud tae make a new yin. But if whit Yotta says is true, that's whit she wanted. She let her life go, and she let her pal Freddie's life go as well.

The panic sets in fur Jill and she runs back tae the car. She closes ower the passenger door first, then gets in the driver's side. Thur's a slippery sound ae mud churnin as she reverses in a wobbly backwards line oot ae the trees. Soon, she's gone, and aw that's left is the rain.

55

Ah walk fur whit feels lit an oor, drenched and wi mud up tae ma knees, afore ah find a taxi that'll stop fur me. The driver tries some small talk but ah ignore him.

Ah create a throwaway account on Youtube, and Twitter, and Facebook, and Instagram. Ah upload the video ae Jill shootin Rose tae every site and tag Police Scotland under each yin. When it's done, ah pit the windae doon and chuck the phone oot intae the night.

'Whit wis that?' the driver says.

'Nuhin important.'

'Looked lit a phone.'

'It wis.'

'Right. That wis quite dramatic ae ye, wis it no?

'Fair point.'

'Bad breakup?'

'Suhin lit that.'

The taxi drops me aff at Partick station. The street is slick, shinin wi streaky white light. Ah'm nearly in the station when a smoker ootside reaches a hawn oot towards me, blockin ma path.

'Ah widnae go in there if ah wur you. Aw kinds ae hings happen tae folk that get on the subway late at night.'

Yotta smiles. Ah go and stand next tae her, leanin on the wet station wall. She hawns me a fag and ah let her light it fur me. Ah've really went ower ma allotted yearly limit fur smokin durin this hale debacle.

'The polis huv awready circulated the video,' Yotta says. 'Lookin fur mair information aboot a supposed shootin in some wids on the ootskirts ae Glasgow. Lucky somebdy wis there wi a camera tae document the hale hing, eh?'

'Aye, whit urr the chances ae that,' ah say.

Folk leave the subway and stick thur hawns oot first tae check fur rain. When they see it's dry, they scurry oot wi their brollies still closed.

'When can ah go back?' ah ask.

'Jist say the word.'

'Ah want tae go back.'

'Right, ah wis lyin. Bluff called.'

Ah sink further doon on the wall, ma puffy jaiket slidin silently against the tiles.

'Why urr ye daein this tae me?' ah ask. 'Whit wis the point in aw this? Ah've seen Steven die, well done, ah'm sure ah really deserved that.'

A car pulls up beside us and ah see ma reflection again. Lily's reflection. Ah raise ma eyebrows and she raises hers. Ma tongue pours oot ma mooth and so does hers. The driver ae the car gies me a funny look and ah suck ma tongue back in.

'These faces ye gie me,' ah say, 'whaur dae ye get them fae?'

'That's above ma paygrade.'

'And whit happens tae them efter? Whit happens tae Rose's face noo that it's used up? Whit's gonnae happen tae this yin?'

'Also above ma paygrade.'

'Jist ma luck. Thur's a secret time travel society and ah get assigned the new start. Is thur anyhin ye dae know?'

'Ah know whit the elves at Santa's workshop listen tae while they work. Wrap music.'

Despite it aw, ah laugh. If ah didnae, ah'd strangle her.

'Ah also know,' she continues, 'that this job is harder than ah thought it wis gonnae be. Ah thought ah knew whit ah wis gettin masel intae. Comin tae folk in thur time ae need. Stoppin folk fae makin a really stupit decision.'

Yotta locks eyes wi me. It's as if she knows. But she couldnae know. Ah niver telt anybody. Ah hud barely even decided masel. She couldnae know, could she? Whit ah stumbled doon tae the subway that night fur?

'But ye've been daein well, Daisy,' she goes on. 'The higher ups huv noticed.'

Ah look tae the sky. It's a calm, peaceful sight noo that the storm's passed. Ah dunno whit ah expect tae see up there. These higher ups smilin doon at me. *Well done, Daisy, Rose and Lily.*

For what? *You* didn't save him.

'Whit else dae ah need tae dae,' ah say. 'Tae get back?'

'Daisy, huv ye considered whit ah telt ye afore? That

ye've been given a gift? Ye're in such a rush aw the time.'

'A gift? Oh aye, this hus been Christmas come early fur me.'

'Ye wur given the chance tae dae suhin important. No everybody gets that kind ae opportunity in this life.'

Ah let oot another laugh. Yotta's jist a bundle ae laughs.

'Yotta, in case ye've no noticed, ah've no changed anyhin. Literally everyhin ah dae, nuhin changes. Ah cannae change a hing. Everyhin's awready happened.'

'It's almost like thur's order tae the universe.'

Two men walk by us, baith clearly steamin, and discuss who's gonnae talk tae the bouncers at the next pub they try and get intae.

'Ah couldnae change anyhin, except fur Steven, who ah somehow managed tae kill a day earlier.'

'Ye didnae.'

'Whit?'

'Ye didnae kill him a day earlier, Daisy. He iways died today.'

Ah look up at her fae ma perched position close tae the pavement. Ma thighs and calves urr startin tae ache.

'But… he died the morra night. Ma mum telt me he died the morra night.'

'And why d'ye hink yer mum wid tell folk that? Whit reason did she huv tae keep his death quiet fur twenty-four oors?'

Ah turn it ower in ma heid. Whit wid make ma mum lie aboot Steven's death? Wis she jist tryin tae stop me fae appearin at the hospital? Wid ah even huv turnt up if she'd huv let me know he wis at death's door? It disnae sound lit me.

'Whitever her reasons, it disnae matter,' ah say. 'Ye sent me back tae save Steven. Ah couldnae dae it. Ah failed. Then ye sent me back again, and ah've mibbe managed tae get Jill her comeuppance, but again, Steven's still deid. And yet these higher ups hink ah did well? So is that it? The hale hing wis aboot Jill? Tae get back at her fur youse fuckin up and leavin her in the wrong body? Cause that feels lit the kinda hing youse shid've sorted oot yersels. D'ye hear me?'

Ah shout it loud and tae the sky. Ah know ah shid watch ma mooth but ah cannae help masel. Yotta's ma only hope if ah want tae get hame. She could leave me here as Lily if she fancies.

'Huv ye no taken anyhin fae this experience?' Yotta asks me.

'Lit whit?'

'Lit… a new appreciation fur life?'

'No particularly, naw. In fact, hings urr even worse than afore. Ah've found oot ma stepda wis actually a gid guy and ah shid've given him a chance. Which, noo, ah'll no be able tae dae. Ah feel ten times worse than ah did afore ye sent me back.'

Yotta smiles. In a sort ae *ah know suhin you don't* kind ae way.

'Ye need tae go easier on folk,' she says. 'And that starts wi yersel, Daisy. That wee voice in yer heid that's iways tellin ye how awful ye urr and how ye're no gid enough? Ye need tae learn no tae trust it. Ye also need tae realise that everybody hus wan ae they voices. Some folk's urr jist a bit louder than others. Everybody's daein thur best.'

'Moral ae the story time, eh?' ah say. 'Did ye rehearse that wee speech, aye?'

That's wiped the smile aff her face. She flattens her fag under her fit then lights up another yin.

'Keep speakin lit that,' she says, 'and ah'll send ye back again.'

'Ye widnae.'

'Ah might. And ye're gonnae run oot ae flowery gurls' names soon enough.'

'As long as ye promise ye'll kill me afore ah need tae call masel Petunia.'

A bus zooms by and splashes through a sturdy lookin puddle, which showers lightly on ma boots. Yotta disnae seem tae take on any water damage.

'Aw in aw,' Yotta says, 'ah'd say this hus been a successful first project. Ah might even get special recognition fur ma efforts.'

'Jeezo, ah'd hate tae hink whit an unsuccessful project wid look lit. Aw, wait. Jill.'

Yotta chucks her second fag intae the road and walks roond tae the entrance ae the station. Ah take a deep breath ae the freezin December air. If ah wis Daisy, ah'd be worried aboot catchin a cauld fae bein oot in the rain too long.

'Right, you,' Yotta says. 'Ready tae go back?'

56

The shiny white tiles reflect faint, grey shadows ae me and Yotta as we go inside the station. Ah pay fur a single at the booth, but when we arrive at the barriers, they magically open when Yotta clicks her fing'rs.

'Aw aye, cheers, could've telt me that wis gonnae happen,' ah say.

'Whaur's the fun in that?' she replies.

The staff member behind the glass disnae seem tae notice or care when ah look back. We take the escalator doon tae the platform. Ma hair blows wildly aroond ma heid as the constant gust ae air fae doon below comes up tae meet us. Lily's hair's far too long fur ma likin. It gets in ma eyes and sticks tae ma lips at a higher rate than ah'm used tae.

Doon below, a few folk wait fur the inner line. The screen shows the next train is in 7 minutes.

Thur's a rumble somewhaur in the distance. It comes closer and closer. A subway car screeches intae view, its lights urr beacons in the dark tunnel. It almost looks lit a plastic kid's toy, bein shakily pushed intae position, lucky no tae fall apart.

It comes tae rest in front ae us, and the doors open. It's empty. Naebdy on the platform makes any move tae get on board or even seems tae notice it's there. Thur eyes urr fixed tae thur phones. No that ye get reception doon here so thur aw either on the Wi-Fi or pretendin they've got pals.

'Ah take it this is jist fur me?' ah ask.

'Ye're learnin,' says Yotta.

'And whaur am ah goin?'

'Whaurever ye want,' she says. 'Whaurever ye want.'

'Really? Whaurever?'

'Naw, no really,' she laughs. 'Ah don't quite huv that security clearance yet. Ye're goin hame.'

The subway carriage still sits there, in nae hurry at aw. Ah look up at the screen. It still says 7 minutes til the next yin. The people on the platform shift on thur feet and pick thur noses. Thur no frozen in time or anyhin but they don't feel real.

'Daisy,' Yotta says, 'ah'm gonnae break a rule.'

'Wild tae hink ye've no broken any so far.'

'Wan ae the biggies, ah'm meanin: nae two folk in the same place wi the same face.'

'Ye're sendin me back, tae afore ah went back the first time? So can ah meet masel?'

'Nut, absolutely nut. Avoid yersel at aw costs. Ah jist hope ye make the maist ae this. Call it a wee early Christmas present.'

The subway carriages start beepin— the signal that the doors urr aboot tae close.

'Ye better get on,' Yotta says. 'Ye've got wan last assignment.'

'Ah assume ye're no gonnae gie me a folder or a pamphlet on exactly whit ah'm meant tae dae?'

'How many times dae ah need tae tell ye? Ye've got a life tae save.'

The beepin gets louder. Yotta takes ma arm and leads me ontae the subway. She sits doon facin me.

'It's been really nice gettin tae know ye, Daisy,' she says. 'Ah can only hope ye've enjoyed gettin tae know yersel as much. Take care and travel safe.'

The doors slam shut, giein me a fright. When ah look back across fae me, Yotta's gone.

And so is everybody else on the platform. The lights switch themsels aff wan by wan. Ah pull ma feet aff the flair and tuck masel intae the foetal position on the carpet-textured seats. Ma skin vibrates against the fabric as the subway gains speed.

A voice speaks ower the tannoy.

'And roond and roond and roond we go.'

'Bye, Yotta. Thanks fur… whitever this wis.'

'Don't, ye'll make me greet. Ah'll see ye again on the outer line sometime.'

The carriage goes so fast ah feel lit ah'm flyin.

Part Six

Alighting

57

'Wakey, wakey, rise and shine, love.'

This is becomin too common an occurrence. If ah ever wake up on the subway again it'll be a day too soon. Ah may as well huv a duvet and a hot water bottle stashed under the seats.

A well-dressed guy in a grey suit gently shakes ma shooder.

'Wan too many last night wis it?' he asks.

'Ah dunno, depends when last night wis,' ah reply, sittin upright. 'Whit's the time, date, month and year? And please, nae jokes.'

The guy chuckles but checks his watch.

'It's comin up on eleven o'clock in the mornin, Friday the 22nd ae December, 2017. Unless ah'm mistaken. Whit dae ah win?'

'Friday? Ye said Friday, aye?'

'That's right.'

Ah thank him and get up. As ah step aff the carriage, the space ah wis takin up on the seats is rapidly takin by four folk, knees and thighs and bums crushed thigither. Mair folk flash by me, tryin tae make it on afore the doors shut.

Ma unused single ticket works and the barriers open fur me. Ah catch sight ae masel in the security mirror, the big circular yin that sits up in the corner and shows ye the hale station.

It's me. It's ma face. It's ma arms and legs and ma hair and ma teeth and ma erse which is fuckin huge in this mirror, it must be a trick ae the light. It's me. Ah'm Daisy again. Fur gid this time.

'Fuckin yiss,' ah say. 'Ye're no goin anywhaur this time.'

A mum and her kids pass and gie me a funny look.

'Why's that lady talkin tae herself, Mum?' the wee lassie says.

'She's jist disturbed, dear,' the mum replies.

Ah smile at them and they scurry by.

'Ah um disturbed,' ah shout efter them. 'Run away fae the scary subway lady! Or ah'll pit ye on the outer line and ye'll niver be seen again! And… merry Christmas!'

It wid be fair tae say ah'm as jolly as auld Saint Nick himsel as ah skip through the Buchanan Street station and hop on the escalator. Yotta's even pit me in a clean set ae claithes.

When ah get tae the top, a wife wi a microphone and a strong jaw stands ootside the entrance, gettin fulmed by a camera crew. Ah prop masel up on wan ae the entrance walls and watch as the lassie does her bit tae camera.

'Try again?' she says tae the cameraman, who nods in response. 'Right, nae fuck ups this time. I stand here at the entrance to the Buchanan Street Subway station, workplace of Jill O'Brien, still wanted by Glasgow police in connection with a shooting on the outskirts of the city. It has been over a week now since a video of Ms O'Brien was uploaded across online channels, apparently showing her firing a gun at an unknown woman, with intent to murder. The video was an overnight viral sensation, racking up millions of views and prompting hundreds of comments from the public regarding the identity of the shooter. However, the deeper the police have delved into the life of Ms O'Brien, the deeper the mystery goes. That awright?'

The cameraman waits fur a few seconds then raises a thumb in approval.

'Thank fuck fur that,' says the wife. 'Fuckin freezin ma nips aff oot here.'

Ah go roond the back ae the camera and tap the cameraman on the shooder.

'Here,' ah ask, 'whit does she mean, *the deeper the mystery goes*? Whit mystery?'

'Aw,' he says, 'apparently this wife the polis urr efter, she like, forged aw her documents. Passport and drivin licence and that. Stole somebdy's identity or suhin. Mad when ye hink aboot it.'

'Aye. Mad.'

Ah leave him and walk in the direction ae the Concert Hall steps. It feels gid tae be back in ma ain skin. Ah feel lit ah fill every inch ae masel again, ma soul reachin aw the way tae the end ae ma fing'rtips. The other body felt clumsy, lit ah wisnae in control and needed tae shed it tae be free.

Ah take aff the gloves Yotta kitted me oot wi tae inspect ma hawns. They bend and curl jist how ah remember.

Noo. Whaur wis ah on Friday the 22nd ae December at aboot eleven o'clock?

58

Siobhan's office is nice. No overly furnished, a minimalistic kind ae feel. She disnae even hing her certificates on the wall tae remind ye she's legit and better than ye.

Inside, me and her sit opposite each other. Ah look lit ah'd rather be anywhaur else in the world. Ah've only been stood here fur aboot ten seconds but ah've awready spotted at least three eye rolls. Ah didnae realise ah did that so much.

It's bizarre, seein yersel fae another body. Lit when ye hear back audio ae yer ain voice and ye go "that's no me, that's no whit ah sound lit, ah don't sound lit that... dae ah?". Ye jist deny it again and again insteid ah takin a minute tae hink, aye that *is* whit ah'm presentin tae the rest ae the world. Cause really aw ah spend ma time daein is avoidin seein masel fae other folk's points ae view. That's why ah tell Frances tae delete near enough any photie she takes ae the pair ae us.

Somebdy approaches behind me. Ah hear the wee bell on her Santa hat jangling afore ah see her.

'She's in with someone at the minute,' the wee, purple-haired receptionist says. 'Have you got an appointment?'

'Aye. Well, naw. Mibbe. Ah'll come back another day?'

'That's probably for the best.'

She toddles away, no realisin that the person in wi

324

Siobhan is the same person she's jist spoken tae.

Ah look back through the office blinds, accidentally makin eye contact wi masel. Ah move away fae the windae sharpish, afore she works oot whit's goin on. Ah take a seat in the waitin area and pick up a magazine. Ah read an article aboot some royal couple that tied the knot in a fancy castle in Scotland. They baith look lit they did a fifty-yard dash in a forty-yard gym.

Then ah realise whit ah shid be daein. Ah rip a scrap ae paper fae the magazine, then go tae the reception desk and steal a pen.

A few minutes later, when ma wrist is startin tae ache fae writin, the door flies open and Daisy storms doon the corridor. She passes me withoot glancin up, eyes glued tae her phone. Ah jump up, take a deep breath, and knock at the still open door.

'Siobhan?' ah say.

She turns fae her desk, whaur she's slidin her notebook intae a drawer. Then she turns away again when she sees it's me.

'I thought you were in a rush?' she asks. 'Don't let me stop you.'

Another turn. She inspects me, her eyes sweepin up and doon me.

'Have you… changed clothes?'

Yotta sent me back in an outfit pretty close tae whit ah wis wearin that day but no quite on the money.

'That's… no important. Listen, ah'm sorry fur the way ah acted last w… jist noo. Ah'd like tae finish aff oor session if that's awright.'

She whips roond and a folder flaps and splats tae the groond. She eyes me suspiciously.

'You want to finish the session? After that… whatever that was.'

'Aye. Ah'm really sorry. Ah acted lit a spoiled dick. Ye didnae deserve that. Ye're tryin tae help me. And pittin up wi me… it cannae be much fun.'

She shakes her heid and picks up the folder. Ah walk intae the room and lift the reed diffuser ah knocked ower. Ah collect the wee smelly sticks and pit them back in the pot and rest it on the table. Lavender's no such a bad smell, as it happens.

'It's my job,' Siobhan says. 'Believe it or not, Daisy, but I have tougher clients than yourself.'

'Ah suppose ah'm no as special as ah thought, eh?'

'No, I didn't mean it like th—'

'It's fine. Ah know whit ye meant. Ah've jist… hud some realistions in the past wee while that ah might be mair ae a numpty than ah thought ah wis.'

Siobhan laughs. It's a foreign sound tae ma ears. Thur's a lot ae folk whose laughter seems a strange hing tae me. Ah iways thought ah wis quite a funny lassie but hinkin aboot it, when ah'm laughin, usually other folk urnae.

'You've had these realisations in the past ten seconds

since you walked out the room?'

'Time's a funny hing. A lot can happen in ten seconds. See, ah'd usually make a sex joke here but, in the interest ae bein honest wi ye, ah've niver… ah've niver *went aw the way*, as horrible and cringey as that sounds. Thur's no many folk that know that.'

'You didn't need to tell me that.'

'Aye, but ah wanted tae. Ah'm no ashamed or embarrassed or anyhin. It's jist… y'know, if ah huv sex wi somebdy, cool. But then ah'm probably no gonnae be wi that person fur ma hale life. And so, ah'll need tae huv sex wi somebdy else. And then, aw ae a sudden, that's two folk oot there who know me lit that. That know aw aboot… everyhin. Who've seen me lit that. And whit if they two people meet someday and start comparin notes? Ah don't know how folk can let thur walls come doon that far. Whit if they laugh at ye? They see ye withoot… they see ye and they laugh at ye? Ah don't know if ah'm ever gonnae be ready fur that, and ah'm tired ae goin along wi it jist cause that's whit everyone else is daein. Sex and drugs and rock and roll, eh? But whit if ah jist want the rock and roll? Ah don't want tae pretend tae be somebdy else anymair.'

Siobhan slides back open the drawer and takes the notebook oot.

'That really was some ten seconds you had out there.'

She gestures fur me tae sit doon and ah dae. Back in

the stiff seat wi the new chair smell.

'You just want the rock and roll,' Siobhan says. 'Okay. Listen, we don't need to discuss it in this session but at some point, Daisy, we're going to need to address your relationship with alcohol.'

'Ma relationship wi...' ah say. 'What kind ae relationship is that?'

'I believe you, to some extent, are dependent on alcohol. Obviously, not to the point where you're *on it* every day, but I do believe that it's having a negative effect on your mental health, in the long run. From what you've told me, you drink to make people like you, and believe it makes you... more *you*. But you go too far. It's not a good cycle. Part of the problem is that you don't consider it a drug, and in the coming sessions, we're going to talk about the fact that it can be.'

It's mad the way counsellors jist drop bombshells on ye lit that, oot the blue, and dinnae warn ye in advance. They get tae pull at a thread ye didnae know wis loose then walk away afore they snip it aff wi a pair ae scissors.

Ah push any other thoughts tae the back ae ma mind and focus on whit ah came in here tae dae. Ah'll consider whit she's said another time.

Ma hawn is tremblin as ah take oot the scrap bit ae glossy magazine paper that ah've been writin on.

'Is it awright,' ah say. 'If ah dae ma wee diary again? Ah'll dae it better this time.'

Siobhan opens her notebook, nods and gies me the classic *please go on* smile. Ah clear ma throat.

'Wednesday 6th ae December,' ah say. 'Ah watched the Liverpool game. We won 7-0. Ah met a few nice guys in the bookies that day. Sometimes when ah see auld fellas spendin aw thur time in the bookies, ah hink, god that's sad. But then, that might be aw the family they've got. These guys wurnae sad, they wur jist... ploughin on.

'Thursday the 7th, ah worked the close at work. Ah moaned ma face aff but Maggie's brother got hurt and that wis proper selfish ae me. Ah'm gonnae apologise tae Maggie when ae see her next and ask how her brother's gettin on.

'Saturday the 9th, went oot in toon. Ah wis a liability. Ah don't like gettin that way but ah seem tae dae it mair often than no. It's no fair on ma pal Frances. Ah shidnae be ruinin so many nights oot fur her. By the by, ah *did* kiss a lassie. She wis awright.

'Monday the 11th, me and Frances hud pizza at Bier Halle, two fur wan. Frances disnae like mice but ah hink ah'm gonnae invest in a wan fur a pet. Ah hink thur brilliant. Ah hud a wee mouse once, Squeaker, and ah miss him.

'Tuesday the 12th, ma purple jumper went missin. That wis the last day ah saw Steven. Ah ignored him when he tried tae say hiya and ah feel bad aboot it. Ah feel so bad ah don't hink ah'll ever be able tae forget aboot that moment. When ah hink aboot it, it's kind ae lit an oot ae body experience, cause ah can see it happenin and thur's nuhin ah can dae tae stop it. Ah found ma purple jumper later on. Ah'd jist misplaced it fur a while.

'Thursday the 14th, the Apple shop wis shut when ah tried tae upgrade ma phone. They found a note on Buchanan Street by some wife who said she wis gonnae attack the manager. But she didnae. It niver happened. She binned the note and walked away. That wisnae a wasted trip. That wis… that wis worth it.'

Siobhan scribbles fur a while efter ah've stopped. She hus a content wee smile on her face. Ma hawns urr shakin, and ah've got this feelin that if ah tried tae stand up right noo, ma legs widnae support me and ah'd land flat on ma face. Ah suppose this is whit it feels lit when ye're open wi somebdy. Comin oot ma shell, exposin ma soft belly, hopin Siobhan's no gonnae *splat* me. People need shells, but they need people as well.

'I know this is going to sound cliché,' Siobhan says. 'But this is really good progress. Even if it's just opening up a little bit at a time. We're on a journey here, you and me, Daisy. One that's never really going to end, even when our sessions do. You're never finished becoming the person you are. No one is ever complete, not even me. It means we always have something to strive towards. You're complete when you're dead. Until then, you've got time.'

'D'ye no feel a lot ae pressure?' ah ask. 'Lit, it's yer job. Tae stop folk fae wantin tae *be* dead. Tae keep folk alive.'

The smile which appears on her face isnae wan ah've seen afore.

'That's not my job, I'm afraid,' Siobhan says. 'I can hopefully help people better understand what they're feeling, and why they're feeling it. Maybe make people be kinder to themselves, if I'm lucky. But keeping you alive? Nope, that's on you, Daisy.'

She suddenly checks her watch.

'Aw, sorry,' ah say. 'Huv ye another person due?'

'No,' she says. 'I'd love to keep chatting, but, based on what you've said there, don't you have somewhere to be?'

59

Lingerin at the back wis niver suhin ah wis gid at. Nae matter how many times ah'd tell masel: jist keep quiet, be the strong and silent type, it niver did work. Ah cannae help but talk and talk and afore ah know it, attention's on me again. But mibbe ah can change that. Cause Daisy didnae turn up tae Steven's funeral. She went on a date wi a random laddie called Robert, who wis very tall but didnae agree that *Shrek 2* wis the pinnacle ae fulm-makin in the last century. Daisy didnae go so that means ah cannae go either, in case it messes everyhin up.

So insteid ae bein able tae go and stand by ma mum's side, stand by Steven's casket, ah'm stood as far away as ah can get. Right on the edge ae the cemetery, whaur the grass meets the trees and the groond underfit is so hard a bolt ae lightnin couldnae break through.

Fae here, the folk urr jist shapes. The huddle ae bodies makes it hard tae see exactly whit's goin on. The claithes urnae uniformly black, though, a few folk darin tae try and bring a bit ae colour tae the occasion. The sound ae cars fae the main road swooshes through the hedges. Ma mum's cryin and ah can hear that above everyhin else. Her face appears fur a minute, in between the shooders ae the taller folk, until she buries it in the jaiket ae Mrs Casey.

Ah want tae run tae her, tae apologise, tae try and

explain. But fur noo, ah jist stand on ma ain and watch.

When ah'm sure the very last mourner's driven oot the gates, ah walk across the wide expanse ae grass tae the rows ae heidstaines and dotted floo'rs.

The dirt on Steven's grave is fresh and so urr the bouquets which dress the heidstaine.

In loving memory of
Steven Andrew McDaid
Beloved partner and brother, dearly missed.
29.12.1968 – 15.12.2017

Did he ever tell me he hud a brother? Ah knew he didnae huv kids ae his ain, but the rest ae his family... Did ah ever ask? Ah've niver been able tae decide whether ah wid've wanted siblings or no. Iways seemed tae me that they'd only bring mair hassle and drama. Me and Mum hud enough between us.

Ah huv a swatch aroond. Thur's folk dotted here and there, but thur visitin other folk. Naebdy gies me a second look as ah stand ower Steven's plot.

'Hiya, Steven,' ah say, ma view briefly obscured by ma breath, made real by the cauld. 'It's me. Rose. Surprise. Bet ye didnae see that yin comin.'

Again, ah check the surroundin area tae make sure naebdy's listenin in tae me makin a tit ae masel.

'Ah feel a bit ae a tube daein this, but here we urr. Ah'm sorry. Ah suppose ah shid be mair specific aboot that sorry, probably got a lot tae apologise fur. Ah'm sorry ah niver gave ye a chance. Ah'm sorry fur the way ah wis. Ah didnae get tae know ye as well as ah shid've. Who knows, the way hings huv been goin lately, mibbe ah'll get the chance someday.'

It's funny, the hings ye'll say tae a heidstaine but ye willnae say tae a counsellor. Or jist tae yersel when thur's naebdy else aroond.

'Ye know, that night, when ah ran doon tae the subway and this aw started? Ah hud this thought in ma heid. That… ah wis drunk, ye know, so… it widnae huv been ma fault. Folk urr iways fallin on tae the tracks. Ah wis trippin aw ower the place that night, everybody could see that. Ah wis steamin. Wan wrong step and that wid've been me. On the tracks. Ah wid've found oot if the tracks urr hot or cauld. It wid've been an accident. Everybody wid've thought it wis an accident. Naebdy could've proven otherwise. But… that widnae huv been the end ae it. Mibbe fur me. But no fur Mum, and Frances and Sam. Ah once met a lassie that left her life behind. Left everybody wonderin whaur she went. It's the folk ye leave behind. That's why ye stay. Ye stay fur them until ye learn tae stay fur yersel.'

Ah wipe the tears fae ma cheeks wi ma sleeves.

'Anyway, thanks fur listenin. You wur wan ae the gid guys. And ye loved ma mum, so that makes ye awright by me. Rest easy there, mate.'

Ah place doon the purple and white floo'rs ah got fae the Tesco Metro in amongst the rest. A gentle breeze whips across ma face. If ah can believe in time travel, then mibbe ah can believe the deid can send messages through the wind. Or mibbe ah'm properly startin tae lose it.

'The Clan won at the weekend, by the way,' ah say. 'Shame ye missed it.'

Ah walk through the heidstaines, in various states ae decay, diggin ma heels in tae crack the frozen groond and no lose grip. These shoes urnae practical fur a cemetery. And thur no the exact same as ah wore on ma date wi Robert, but ah don't hink anyone at the pub'll notice. The next stop on the Daisy Douglas apology tour.

60

The odd car rolls along the road ootside the pub. The East Kilbride Christmas lights dangle and rattle in the wind above ma heid. A cat, thick wi its winter coat, pads its way across the road then disappears intae a bush wi a rustle.

Ah stand across the road, leant against the painted windae ae the One O One offie, and look on at the mourners scurryin in and oot ae the pub. They move fast, scared in case the cauld gets intae thur bones and invites the winter bug that's goin roond wi it.

A taxi arrives and Daisy and Robert hop oot. The glaikit look on Robert's face makes me smile. He checks his reflection in the taxi windae jist afore it takes aff, and he seems tae be happy wi whit he finds there. Daisy disnae check her face, cause she's fairly sure she's lookin lit a stone cauld stunner the day.

'Ye shid appreciate that face,' ah whisper. 'While ye've still got it.'

A while later, when ma fing'rs huv jist aboot lost aw feelin, Robert comes back oot. His face is trippin him. He looks left and right in vain fur a taxi then pits his hawns in his pockets and starts walkin wi purpose, in the wrong direction if he's lookin fur a taxi. Ah watch him turn a corner and disappear. It's funny who ye get tae see fur the last time, twice.

Ten minutes later, Daisy leaves the pub. Ah hide in the shadow ae the big tree ootside the Village Steakhouse tae make sure she disnae happen tae see me.

She finishes the rest ae her drink and talks tae a woman and looks even mair smug than ah could ever huv imagined masel lookin. Ah check ma phone. It's nearly time. When ah look back up, Daisy's on her ain. She flags a taxi and leaves, so ah cross the road.

Mrs Casey's the first tae notice me, as she comes back oot the toilets.

'Ye've got some nerve comin back in here efter that,' Mrs Casey says. 'Yer mother's cryin her eyes oot in that toilet and it's aw your fault. And ye've changed yer shoes.'

Mrs Casey disnae miss a trick.

'Ah know,' ah say, 'ah jist need…'

In the corner, Steven's pals urr finishin up, pittin on thur coats and shakin hawns and makin heid gestures that mean *that's me away up the road*. The barman sees me.

'Here, you,' he says, 'ah thought ah telt—'

Ah run tae the space at the windae fur ma encore.

'Excuse me,' ah say. 'Excuse me, folks, ah jist need tae say wan mair hing.'

A big hulk ae a guy, his scarf lit a bit ae string roond

his neck, shouts for aw tae hear.

'Listen, lassie, ye need tae shut yer mooth and leave.'

'Ah know, trust me, ah wish ah wisnae up here tae. But ah jist need ye tae know… Steven *wis* a gid guy. Ah used tae hink thur wis nae such hing as gid guys and bad guys. And mibbe that's still true fur the maist part, but… Steven wis a gid guy.

'Whit ah said afore, it wis true. At first, ah didnae hink he wis gid enough fur ma mum. Ah thought he wis… well, ah niver even cared whit he wis.'

A few folk make fur the door.

'But ah wis wrong. Ah wish ah could say mair aboot him, but ah niver took the chance. Ah'm sure thur's folk in the room that could tell me stories aboot him. But ah did get tae know him a wee bit. Ah know that he loved the hockey.'

This raises a few smiles in the pub. Thur wis a purple and white Clan scarf draped ower the heidstaine.

'And ah know he telt shite jokes. Ah know he hud a gid heart and he'd go oot ae his way fur his pals, and even folk he didnae know. And maist importantly, ah know he loved ma mum.'

She's come back oot the toilet and watches me, the tears briefly paused in her eyes.

'And ah hink, as well as bein a gid guy, that made him a really *smart* guy.'

Her mooth scrunches up and ah'm no sure if she's

gonnae punch me or strangle me once this is ower.

'So ah know ah don't deserve tae make a toast tae him, that's no really ma place, and yer drinks urr empty noo anyway. But ah'm sorry fur whit ah said earlier. And ah'm sorry ah niver said mair tae Steven. Ah hink we could've been pals. And, eh, ah hink that's jist aboot me done.'

Ah look aroond the pub and try and make eye contact wi folk. Some avoid it. Thur's certainly nae love in the air but thur's less hatred, which is suhin.

'And mine's is the next roond,' ah say. 'So everybody order whitever ye want.'

Some tension leaves the room. Jaikets urr slipped back aff. Ah'll be lucky tae huv any ae ma Liverpool winnins left efter this.

61

Ah could really go a drink right noo but ah'll gie it a minute in case it ruins the effect ae the speech. A couple ae folk come up and gie ma a wee pat on the shooder and thank me fur thur pint but nae huge signs ae affection, which is aboot the best ah could've hoped fur.

Ah slowly pace through the pub towards Mum.

'Urr ye comin?' Mrs Casey says tae her. 'Jim's jist gettin the car.'

'Ah'll be oot in a minute,' Mum replies.

Mrs Casey leaves and Mum stays. Some ae the tables whaur Steven's pals wur sat urr empty noo, and thur's a few seconds afore the groups that wur crowded at the bar seep oot and get a well-earned seat. Bags and jaikets get dumped and thrown across chairs tae bagsy places fur the rest ae the day and night.

'Did ye mean aw that?' Mum asks.

Her lips quiver and she raises a hawn tae her mooth as if tae haud them still.

'Aye,' ah say. 'Look, ah niver telt ye this, but me and Steven... we went tae a hockey game thigether recently.'

'Whit? Why?'

'Well. Fur... fun ah suppose. We wur gonnae tell ye, but we wanted it tae be a surprise. We jist wanted tae make sure we wur on gid terms afore... we wanted tae be a family. Ah'm sorry we niver got the chance.'

Ah iways hear the term "glassy eyed" but ah've niver really understood it afore noo. Mum's eyes shimmer and it looks lit the lightest tap wid shatter them tae a million bits.

'Widnae ae mattered anyway,' she says. 'Daisy, naebdy knows this, right, so don't you dare tell a soul.'

'Ah swear.'

'Steven didnae die last Saturday night. He died the night afore, on Friday. Ah got called tae the hospital cause he'd hud a heart attack. The paramedics said…'

She raises her hankie tae her mooth. Two tears race each other doon her cheeks.

'They said he'd been wi some young lassie. It must've been the same lassie ah found him textin. Some lassie called Rose. She ran aff when the ambulance arrived. Steven hud telt me he jist needed tae go back tae work, he'd forgotten suhin. Then we wur meant tae go tae yer flat tae surprise ye wi lunch. But, naw. He wis wi some twenty-year auld.'

The tears come quicker, thicker and faster, and a stream threatens tae leak oot her nose.

'Ah cannae believe it happened again,' she goes on. 'Ah mean, how stupit can ye be? He wis laughin at me. He disnae deserve any those words ye said. God, ah'm such a joke.'

Ah take her intae ma arms and let her wail intae ma jaiket. *Have Yourself a Merry Little Christmas* plays in the pub, the original *Meet Me in St. Louis* version wi the sad lyrics. Ah guide Mum intae the alcove afore the toilets.

'Mum,' ah say. 'Listen tae me. Steven wisnae cheatin on ye.'

'Oh aye ah'm sure he wisnae.'

'He wisnae, Mum, look at me.'

We lock eyes. The pain in hers shoots in red, bloodshot lines tae aw corners.

'That lassie he wis wi? She wis… a friend ae mine.'

Her eyebrows crease in confusion and a hint ae anger. 'A friend?'

'Ah met her at uni. She's no fae aroond here, ye widnae know her. She wis… huvin money problems. Ah mentioned her tae Steven and he insisted he wanted tae help.'

'Steven gave her money? How much money?'

'Lit, a few hundred quid or suhin. She needed enough tae get the train back hame. Her da's sick.'

Ah practised these lies ower and ower again in ma heid ootside the pub and ah jist hope ah'm a better actress than a daughter.

'Naw, naw,' she says. 'Steven wid've telt me. We telt each other everyhin. He widnae take oor money lit that.'

'Ah asked him no tae, Mum. Ah knew it wis a lot ae money and ah wis gonnae pay him back and ah jist thought ye'd be angry at me. It wis the first time ah'd properly spoken tae him and it wis tae ask fur help, ah wis embarrassed. Ah'm sorry. It's me ye shid be angry at, no Steven. He wisnae sleepin wi anybody else. He loved you, Mum. He loved ye mair than ye know.'

Mum's eyes huv dropped tae the flair and a few tears follow but it's too dark tae see the marks they make. Ah rehearsed whit ah wis gonnae say and that's me said it aw noo. But thur's still wan mair hing she deserves tae know.

'Ma pal, Rose,' ah say, 'she's back hame noo, but she telt me. Afore the paramedics arrived. Steven said… said tae tell ye…'

Ah swallow.

'He said tell Annie ah love her.'

Christmas lights blink green and yella and pink and blue aroond us. Judy Garland's voice trembles through the speakers. Folk aw aboot us laugh and chat and scream wi the delight ae makin it through another year. Drinks urr poured and drunk and spilt and poured again. Auld friends and new friends shake hawns and get in each other's roonds. A merry type ae feelin warms the pub and makes everybody take thur layers aff and haud close tae them the wans they care aboot the maist.

And ah hug ma mum tighter than ah've ever done afore. She cries intae ma shooder and we might be stood here til Hogmanay and that's awright wi me.

62

The Cowcaddens underpass isnae somewhaur ah'd choose tae spend a lot a time. Even in the daylight it's somewhaur tae race through and get tae the other side afore any shadowy hawns get a hawnful ae yer claithes. In the dark, it's the kind ae place that stragglers and folk doon on thur luck end up. Folk lit me, as it happens.

Ah stand haufway up the path, on the opposite hill fae whaur Daisy's due tae go heid ower heels. Ah crack open ma can ae Jack Daniels and coke and take a sip. It's Christmas efter aw, and it's no lit ah didnae huv time tae kill between the purvey and original me leavin Jacksons. It's jist wan drink. It's jist the wan. It's no lit Siobhan's gonnae see me.

A pair ae fitsteps approach. It's no Daisy. A guy appears at the top ae the opposite slope, his feet seemingly comin doon at random as he descends. His suit jaiket is slung ower his shooder and he laughs tae himsel.

Then he spots me.

'Hiya,' he says, wavin a hawn.

'Evenin,' ah say, takin a step back, ready tae run.

'D'ye know whit way the subway is?' he asks.

He drops his jaiket then stumbles tryin tae pick it up and hits the deck. It's a popular spot fur it.

'Ye awright there pal?' ah ask.

'Ah'm graaaand,' he says, raisin himsel tae his feet,

a slight scrape on his cheek. 'Jist need ma scratcher. Subway?'

Ah consider giein him wrong directions but it seems cruel. This guy disnae seem lit he could get in Daisy's way and ah've still got time in case ah need tae get rid ae him.

'Through the underpass and on the left,' ah say. 'Ye sure ye're awright?'

He manages a thumbs up and disappears intae the yella light ae the tunnel.

Ah finish ma can and walk up the path tae chuck it in the bin. The echo ae harsh fitsteps on the groond makes me turn aroond. A dark shadow runs doon the slope, veerin in and oot ae the cycle path as if no in control ae its movements. As it reaches the bottom, the figure reveals itself tae be Daisy. Wan ae her legs catches another and she falls on her face, scrapin along the pavement fur a second afore comin tae rest at the entrance tae the tunnel.

Her bag rolls away fae her and her phone skites oot and lands in some weeds. She disnae notice, jist raises hersel tae her feet and grabs her bag. Fur a moment, she looks ma way, so ah step back, hopin the shadows willnae gie me away. Other Daisy disnae huv time tae wait and she leaves intae the light ae the underpass.

Thur's naebdy aboot so ah rush tae retrieve the phone.

Ah pick it up and wipe it doon tae get rid ae the gunk and dirt. The screen's ruined, dozens ae cracks runnin in every direction lit it's taken a bullet. Ah cannae get it tae turn on.

Somewhaur above, ah hear a blast ae *Proper Crimbo* oot somebdy's windae. Ah look up tae see smokers leanin oot a flat windae, bathed in warm light.

'Hiya,' says a voice next tae me.

It's the drunk guy who must've no quite understood ma directions tae the subway.

'Evenin,' ah say again. 'Did ye no find the subway then, naw?'

He laughs and looks confused.

'How'd ye know ah wis lookin fur the subway? D'ye know whaur it is like?'

'Ah dae, mate, but ah'm afraid it's jist shut. Well, thur is wan mair train scheduled but it's a private hire.'

He looks perplexed again but ah could say anyhin right noo and he'd no really be sure aboot it.

'Wur ye oot wi yer pals the night?' ah ask.

'Ah wis, aye. Gid lads. Craig's a bit ae a prick but he's fae Stirlin so whit dae ye expect?'

'And whaur urr they noo?'

'They went tae Bamboo.'

'Ah'm sorry tae hear that.'

'The bouncers said ah wis too steamin. Can ye believe that?'

He blinks and the effort ae it nearly hus him topplin ower. Ah reach oot tae keep him steady.

'Ye know, ah actually can. They jist left ye though? Some pals.'

'Ach, they're no so bad. They'll come and get me eventually.'

That's when ah realise. Why Yotta broke wan ae the rules fur me. Why she sent me back a day early. *You've got a life to save.*

'Whit's yer name?' ah ask the guy.

'Richard,' he says. 'But ma pals call me Richie. Or Dick.'

'Right, Richie. Ah need tae go, will ye be awright on yer ain?'

He disnae look convinced.

'Hm, ah could dae wi some help gettin a taxi.'

The urge tae leave him here nearly overwhelms me, afore ah place whaur ah know his face fae. The Ark. He hud an early start the next day and ah gave him ma pint.

'Fine,' ah say. 'But ah've no got much time.'

63

'Come on,' ah say tae him. 'Jist a bit further.'

Richie stumbles and trips ower hings that urnae there but we're nearly back up at Jacksons. Folk urr gathered at the pub door, smokin and drinkin fae glasses snuck oot when the bar staff wurnae lookin.

'Look who it is,' wan ae them says. 'She's lookin better at least. Here, did ye go and change, hen? Or did ye jist dry oot in the wind?'

Ah ignore the question and walk intae the street, throwin ma hawns oot at any taxi that passes. Richie sways on the spot, threatenin tae be blown ower be a stiff breeze. Flaggin doon a taxi on the last Saturday afore Christmas in Glasgow centre at hauf eleven at night? Ah must be hopin fur a miracle.

But then, oot ae naewhaur, one does pull up. Ah look tae the sky. *Wis that you, Yotta?*

'Whaur dae ye stay?' ah ask Richie.

'Giffnock,' he manages tae reply.

'Aw, fur fuck's sake, ye know how much that's gonnae be? And ah've awready bought a hale pub a round the day. Ah take it ye've nae money on ye?'

He grins and shows me an empty pocket.

'Sorry, ah got sacked fae ma work the other week.'

'Right,' ah say tae the driver. 'Here's thirty, will that get him tae Giffnock?'

'Aye,' the driver says. 'Unless he spews.'

'Fair point. Here's fifty.'

Ah pass the rest ae ma Liverpool winnins tae the driver and shove Richie intae the backseat. The back ae his legs urr covered in muddy spots fae puddles he's stepped in. Ah straighten him up and pit his seatbeat on fur him.

'Thanks so much,' he says. 'Whit's yer name?'

'It's Daisy,' ah say, glad tae be tellin the truth again.

'Daisy. That's a nice name. Thanks Daisy, ye're wan ae the gid guys.'

'Well, mibbe no yet,' ah say. 'But ah'm tryin.'

Ah slide the door ower wi aw ma might and hope he didnae leave his fing'rs in the latch. The taxi takes a right and heads doon towards the bus station.

Then ah start runnin.

Sauchiehall Street is alive and kickin wi people goin every which way. Ah pass through it as ah run doon Cambridge Street, which soon turns intae West Campbell Street. Ah take a left on tae Bath Street then a right on tae Renfield Street.

Ma lungs huvnae hud tae work this hard since the bleep test in high school and it feels lit ah'm aboot tae bring them up in a wet pile. Every time ah need tae stop fur the red man ah'm glad ae the rest but ah know ah've no got the time. Ah rush in between cars and taxis and drunk folk shoutin *"Run, Forrest, run'"* at me. The taxi drivers shout at me as well, and their comments urr a bit mair obscene.

'Slow doon, you,' some guy says. 'Santa's no due fur a few days yet.'

Huv ye been a gid gurl this year?

The sweat under ma oxters and doon ma back is makin ma dress stick tae me. The people ah pass look at me wi bleary eyes and don't even pretend thur no starin. Some urr headin tae the clubs, *the dancin*, so the night disnae need tae end. Some urr probably headin fur McDonalds whaur the real action is.

The huge electronic advert screen above Central lets me know ah'm gettin close. Ah can see the pack ae bodies fae here. The taxi rank queue is a snakin beast that ye don't want tae get tangled up in.

Ah turn the corner. Some eyes fall on me, seein anybody new as a threat that jist wants thur space in the queue. Near the front, angry, raised voices get louder. The folk further back in the queue step back, no wantin tae get caught up in any fightin.

'Whit the fuck dae ye hink ye're daein, pal?' a man shouts.

'It wis them!' says the woman he's wi. 'It wis them, they pushed in. Ah saw it!'

The couple behind them urnae backin doon.

'We wur here first,' the other guy says. 'So either get back or ah'm gonnae knock yer fuckin teeth oot.'

'Dae it, John! Knock his teeth oot!'

Ah make ma way tae the front ae the queue, everybody too concerned wi the argument tae notice somebdy stalkin roond the ootside, lookin tae jump in.

Ah see Frances, next in line behind the arguin group. A taxi rolls up tae the rank.

'Don't ye fuckin dare,' says wan ae the guys.

And lit that, it kicks aff. Wan guy reaches fur the taxi door handle and the other man tackles him tae the groond. Thur partners start hittin them, the pair ae them noo rollin aboot on the groond, afore they realise they'd be much better smackin lumps oot each other.

'Frances!' ah shout. 'Frances!'

She disnae hear me. Ah cannae get near her. The taxi rank swarms roond the fight and the bodies urr packed too tight thigether fur me tae power through. Ah start runnin aw the way roond.

'Bastart,' wan ae the fighters shouts. 'Stupit bastart.'

As ah get roond the side ae the crowd, ah see Frances again. She looks terrified. Her eyes dart aw aroond and her arms wrap aroond hersel. The taxi driver opens his windae and shouts tae her.

'Here, hen,' he says. 'Ye can get in if ye like?'

She seems unconvinced fur a second, then looks at

the foursome scramblin on the groond. Two polis urr comin across the road fae Central Station, and ah'm aboot twenty feet away.

Frances makes a run fur the taxi. She gets the door open, but wan ae the women manages tae get hersel upright and grabs her.

'Fuckin bitch,' she screams.

She grabs two hawnfuls ae Frances's jaiket and tries tae yank her aff the taxi. Frances does her best tae cling tae it wi her fing'rnails but fails. The woman spins and lets her go lit a hammer thrower at the Olympics. Frances is tossed intae the middle ae the road, whaur another taxi is comin at speed. She loses her balance and lands on her side. The driver's no seen her. Frances isnae gettin up.

Ah charge towards her, pick her up and throw her oot ae harm's way. The lights fae the taxi urr blindin.

Ah hear the brakes screech but it's too late.

64

Ah realise ah'm still breathin but ah'm scared tae open ma eyes this time. Ah've woken up in some bad places lately and ah'm convinced this is gonnae be yet another.

Ah let the light in.

An IV drip punctures ma arm. Ma bed is closed aff by a curtain, pulled aw the way aroond. Beeps and grunts and fitsteps rattle fae somewhaur ootside ma makeshift cubicle. Ah touch ma hawn tae the back ae ma heid. Under ma hair, a huge, tender lump swells lit a tangerine.

'Why did the daisy cross the road?' says a voice.

Ah jump and ma heid hits the pillow and it makes ma eyes water. Yotta's appeared in the seat next tae ma bed.

'Tae save her friend Frances,' she answers her ain question.

She looks up fae the magazine she's readin and smiles. Then she frowns.

'Aye, the punchline disnae really work but it wis meant tae be, like… clever.'

Whitever ah'm hooked up tae is warm and lovely and flows through ma bones. Ah could sleep noo if it wurnae fur the mystical subway worker by ma bed. Or mibbe ah'm still asleep.

'Did ye know ah wis gonnae get hit by a taxi?' ah ask. 'Cause ah really wid've liked some prior warnin on that wan.'

'Ah knew it wis a possibility. Tae be fair, if ah'd telt ye ye wur gonnae get hit by a car yesterday, wid ye still huv ran doon there lit Usain Bolt?'

Ah shrug. Ah really huv tae concentrate tae force ma eyelids up and stay awake. Yotta's holdin a bouquet ae yella and white floo'rs.

'Daisies,' she says. 'Too obvious?'

She gets up and places them on the table by ma bedside.

'Yer mum and Frances'll be in soon. Ah jist wanted tae say wan last gidbye.'

Ah wiggle ma toes and they ruffle the bedsheet near the bottom.

'Does that mean ah'm rid ae ye?' ah ask.

'It does. Bet ye're proper gutted?'

'Ah don't want tae hurt yer feelins or anyhin, Yotta, but ah jist want tae go back tae bein Daisy, and if that means no seein you again then that's jist a sacrifice ah'm gonnae huv tae make.'

Yotta picks one daisy fae the bunch and starts pluckin a petal aff at a time.

'Ye've iways been Daisy,' she says. 'Disnae matter whether ye look lit a Daisy or a Rose or a Lily. As long as ye iways remember who ye urr on the inside. That's whit matters.'

'That's wan way ae lookin it it,' ah say. 'But you wake up the morra wi a face ye don't recognise and tell me ye're awright wi it.'

Petals scatter on the flair at her feet. Her fing'rnails urr long and thick and the whitest ah've ever seen. And yet her bosses send her tae dae aw thur dirty work.

'She loves me,' Yotta says, pluckin another petal. 'She loves me not.'

'Jist tae be clear though,' ah say. 'Ah dae get tae keep this face? Ye're no gonnae swap it again?'

She laughs and grabs ma foot through the blankets.

'Oh ah huv enjoyed oor time thigether Daisy,' she says. 'And aye, ye can keep yer face. Ah don't really get a say anymair, as it turns oot. The higher ups wurnae too happy aboot me lettin ye… redo yesterday. Two Daisys runnin aboot. Could've led tae aw sorts ae problems.'

'Whit, urr ye sacked or suhin?'

'No sacked, jist… reassigned.'

Thur's a murmur fae behind the curtain, and a door openin, and the sound ae hushed voices.

'That'll be ma cue,' Yotta says. 'Cannae hing aboot here aw day.'

We shake hawns. Ah feel that feelin, that weird feelin ah got the first time we touched. Lit Yotta's no the same as anybody else ah've ever met. A spark that travels aw through me.

'And remember,' she says, 'bc careful on that subway. Ye niver know whaur ye might end up.'

The curtains open. Yotta disappears. Ma mum and Frances rush towards me wi smiles full ae worry and relief. They take turns huggin me and ah don't like lettin go.

'Frances,' ah say, 'ah need tae tell ye suhin.'

She shares a look wi ma mum.

'Aye?' she says.

'Aye. Ye see *It's a Wonderful Life*? Ah don't reckon it's a fantasy fulm.'

Frances pits her bag doon and drags ower a chair tae sit next tae me.

'Urr ye jokin?' she says. 'How can ye say that? Thur's bloody angels and aw sorts in that fulm.'

She keeps talkin and ah listen. Mum kisses ma foreheid and ah clench ma eyes and tell her tae be careful wi me since ah've got a misshapen heid at the minute.

On the flair, daisy petals lie scattered lit broken parts.

She loves me, she loves me not. She loves me.

65

'Ye awright?' Mum asks.

Only Fools and Horses plays on the telly, the corners ae the screen jist obscured by the wee tassels ae tinsel which line the edges. The radio is still on fae earlier in the day, neither ae us wantin tae turn it aff. *It's Christmas So We'll Stop* by Frightened Rabbit hums fae the speakers quietly, tryin no tae be noticed too much.

'Mum, ah'm fine,' ah say. 'Jist lit when ye asked me five minutes ago.'

'Well, ye got hit by a car, Daisy, so excuse me if ah fuss ower ye, awright? It's no every day yer daughter gets hit by a car.'

'That's a weird way ye've phrased that, Mum, lit it's some kind ae major life milestone.'

She goes back tae the kitchen counter and organises the food packagin intae regular bin and recyclin. She wraps the leftovers in tin foil and pits them in the fridge, whaur they'll sit fur probably a couple ae oors til ah get stuck intae them when Mum's away tae bed. She insisted on a full turkey between the two ae us, so we'll be eatin fur days. Mibbe that wis part ae her plan tae keep me here. Either way, ah'm no complainin.

She continues tae buzz aroond the kitchen. Ah offered tae help but wi ma arm in a sling ah'm no much gid.

'Whit's on the night?' Mum asks, loadin the dishwasher.

'*Doctor Who*'s on in a bit,' ah say.

'Who is it these days?'

'Peter Capaldi.'

'Och ah like him. He wis gid in that other programme he wis in, the politics yin. Fuck this, fuck that, fuck you. Brilliant. Can we watch *Call the Midwife* as well?'

'Ye'll be asleep by then.'

'Ah'll rest ma eyes durin *Doctor Who*. Cannae miss *Call the Midwife*. Mrs Casey'll be phonin right efter it's done tae spoil it fur me.'

'Ye cry every time ye watch that programme, Mum.'

'Exactly, one mair big greet ae 2017. Then we go intae 2018 fresh. Nae mair greetin.'

A gie her a thumbs up.

'Nae mair greetin sounds perfect.'

She's only *pretending* to like having you back, she'll be dancing when you're gone.

Ah still huv that voice in ma heid tellin me ah'm nae gid, but it's no as loud lately. Mibbe Yotta's right and we aw huv a voice lit that. Ah'm gonnae tell Siobhan aboot it in ma next session in January. Ah'm sure she hus a *tell me about your negative voice* smile in her locker.

Ah stick ma feet up on the table while Mum's no payin attention. Mum's latest read sits untouched jist past ma toes. *The Time Traveller's Wife*. Apparently, "*some lassie*" asked fur it at the library, but she disappeared afore she could check it oot.

Mum fancied re-readin it so she took it insteid.

Wi the dishwasher loaded, the chocolate gateau defrostin on the countertop, and the oven trays steepin in the sink, Mum finally stands doon and joins me on the couch.

'Ah'm glad ye decided tae come ower,' she says. 'Wid've been far too much jist fur me.'

Ah lean ma heid intae her shooder.

'Widnae huv missed it,' ah say. 'Auntie Jean no fancy comin ower?'

'Naw, she's got a new man on the go actually, she's at his. Suits me, ah don't need her swannin aboot ma hoose in her bare feet. Urr ye no missin the swanky west end?'

'Mum, ah hud a bit ae a realisation aboot the west end, as it happens.'

'Aye?'

'Aye. Ah dunno if ah belong there. That Ashton Lane? Jist folk cramped intae tiny pubs payin six quid a pint so they can take a photie ae the fairy lights and the cobbles. None ae they pubs urr anybody's local. Ah need a local kind ae pub. Lit the Montgomerie Arms. Well, no *actually* the Montgomerie Arms but ye get whit ah mean.'

Mum sighs, then leans forward and ma heid falls fae its restin place. Her hawns cannae keep still, organisin the magazines on the table and the remotes on the arm ae the couch. Lit she disnae want tae stop and huv a rest.

Because if she stops, if she hus nuhin tae distract her, she'll finally huv tae hink aboot him.

Ah clear ma throat.

'D'ye hink Steven's wi us, Mum?'

She leans back on the couch, hawns finally at peace in her lap.

'Well, ah'm no sure. Like ye said, thur's a lot up there tae keep him busy. Mibbe he's spendin Christmas wi Robin Williams. We cannae exactly compete wi that.'

Ah laugh and cringe at the thought ae me bein such a prick tae her at the purvey.

'But, aye,' she says. 'Ah hink he's been poppin in tae check on us here and there. Makin sure wur daein okay.'

'Tae make sure ye didnae burn the roast tatties.'

'If a roast tattie isnae crisp, whit's the point in huvin it?'

We laugh and cosey intae the couch and watch the telly. The sky goes fae dark pink tae black and thur's only the telly light in the livin room, thrown ower us lit a blanket. We discuss the idea that we shid pit a light on but that'd involve gettin up and in the end we stay sat in the dark.

'It willnae feel lit this forever,' ah say, tryin tae sound lit an authority on the subject. ''Cause thur's order tae the universe, see. Ups and doons. Opposites. Ye need tae huv the really low lows so ye can appreciate the high highs. Does that make sense?'

Mum hus a glance ower at the gateau, still too hard tae get stuck intae yet.

'Ah agree wi the sentiment,' Mum says. 'But thur's nae opposite tae grief. Thur's nae opposite tae this feelin. The opposite tae grief isnae happiness. The opposite tae grief is jist... less grief. Days when ye forget fur a while. Ye don't get so happy that ye lie in bed fur days, greetin yer eyes oot wi happiness. Happiness disnae stop ye in yer tracks when ye're in the middle ae Asda and make ye leave yer half-full trolley and walk oot the door. Grief is unique. It disnae fit in wi any rules. Does that make sense?'

'It does, aye.'

Ah slide ma fags fae ma pocket. It is Christmas efter aw.

'Nut,' Mum says.

'Aw, but Mum.'

'Ah'll 'but Mum', ye. Noo, since it's Christmas ah'll let ye smoke, but ye can go ootside and dae it.'

'But ah'm aw poorly,' ah say, gesturin tae ma bad arm. 'Ah might faint wi the exertion.'

'That's jist a chance wur gonnae huv tae take. Ooh, *Strictly*. Ah forgot *Strictly* wis on. Why'd ye no remind me *Strictly* wis on?'

Ah leave the warmth ae the couch while Mum tunes intae the dancin. She stretches oot completely and takes up the hale sofa as soon as ah'm oot the livin room and intae the kitchen.

'Ah want ma seat back when ah come back in,' ah tell her.

'Aye, we'll see,' she replies.

Ah throw ma jaiket ower ma shooders, step oot the back and close the door behind me. The air bites at ma exposed skin and ah pull ma collar tight. In other gardens, bottles clink and laughter can be heard. In even mair distant yins, fireworks urr poppin and bangin and terrorisin poor dugs everywhaur. Even *ah* hate the sound ae fireworks. They remind me ae suhin, suhin ah niver want brought tae mind.

BANG.

Ma phone vibrates. The gurls' group chat's goin mad wi notifications. Frances hus announced that her sister's jist got engaged. Her messages come thick and fast.

She's soooo happy it's soo cute!!!
But if my bf proposed on Christmas Day I'd be fumin
Total lack of imagination
No that I'm gonnae tell her that
And she's totally stealing my 'nearly got hit by a car'
thunder
(thanks again @daisy lolz)
But I'm so happy for her!!
I better be chief bridesmaid
And we will NOT be doing Magaluf for the hen I can

say with 100% confidence
> *Aw she's went out into the garden to pop the champers*
> *And he didn't get her anything else for Christmas*
> *The proposal was the present*
> *Which is shite if you ask me*
> *But aye she's pure buzzing*
> *Happy Christmas gals :D*

Ah'm so caught up in the chat, ah don't realise thur's somebdy else oot in the garden wi me.

66

'Weatherwoman says thur's snow on the way,' the stranger says.

Ah'd pit her in her mid-sixties. Leather jaiket and knee-high boots. Nae scarf or hat or layers tae speak ae. Her face is kind ae familiar but ah cannae place her. She leans on the blue glass bin.

'Urr ye lost?' ah ask. 'Ah hink ye've got the wrong garden. Dae ye want me tae phone somebdy?'

She ignores the question and crosses her arms. A thick, colourful tattoo pokes oot fae under her sleeve and cuts aff when it reaches her hawn.

'Urr ye no freezin?' ah try again. 'No much linin in that jaiket ae yours.'

Jeezo, ah'm startin tae sound lit ma mother and ah've only been back a couple ae days.

'It's nae gid in this weather,' she says finally. 'But it wis forty percent aff in the sale, and ah look dynamite in it.'

'Fair play. Urr ye a relative ae wan ae ma mum's neighbours? Mrs Casey mibbe?'

'That wid be a logical reason fur me tae be here. Ma name's Eleanor, by the way. Naw, ah'm here fur you, Daisy.'

She takes her weight aff the bin and the bottles inside roll and clink thigether. Me and Mum huv bein gettin on it the last few nights, since thur's nuhin else tae dae at the minute. Ah said naw at first. Ah even bought an eight-pack ae Pepsi Max. But when Mum opened the first bottle ae red and ah said naw tae a glass, she thought suhin wis up wi me. So ah jist slipped ma hawn aff the tap ae ma glass and let her pour.

Eleanor turns and uses her fing'r tae draw suhin in the frost on the top ae the bin lid.

'We wur fair impressed at yer handiwork,' she says.

Ah turn back tae the hoose, reachin ma hawn oot tae the handle tae make sure the door's closed aw the way ower. Ah peer through the windae. Mum's still on the couch.

'Ye're… fae the subway?' ah ask her.

'We're mair far reachin than that but, aye, that's part ae oor remit. Ah represent some ae the higher ups.'

And here wis me hinkin Yotta hud made them up. These *higher ups* that kept her in the dark the same way she kept me in the dark.

'Whaur's Yotta?' ah ask.

'Who? Aw, wait, aye, "Yotta". D'ye know whit Yotta means?'

'She telt me it meant a giant number.'

'It might. Naw, she came up wi it herself. Yotta. Y-o-t-t-a. *Your own time travelling assistant.* How cheesy is that?'

A laugh escapes me. It disnae surprise me. Another wan ae her jokes. Ah wid've preferred tae hear it fae Yotta hersel, mind you.

'But that's the name she wants,' Eleanor goes on, 'so ah'll respect it. Unfortunately, she went a bit aff the rails, lettin two Daisys roam aboot Glasgow and that. Could've went pear-shaped, ah'm sure ye understand. We cannae let that kind ae recklessness go unpunished.'

'So ah'll no get tae see her again?'

'Ah widnae hink so. She's been reassigned. Yellow Ribbon unit.'

Ah take a puff ae ma ciggy. Behind me, ah check again tae see Mum's no noticed the two voices ootside. She sits content, watchin the judges giein oot 8s and 9s. Everyone's mair generous at Christmas time.

'So why urr ye here?' ah ask.

'Jist checkin in, Daisy,' Eleanor says, smilin lit ah've asked a daft question. 'We've got tae dae follow ups on oor users, otherwise whit kind ae organisation wid we be? And ah'm here tae wish ye a merry Christmas, of course. It'll be tough this year, but it'll get easier. He wis a gid man, that Steven.'

Ah realise whaur ah recognise her fae. She wis the wan ootside the pub. The day ae Steven's purvey.

'You're the yin that knows why crisps go oot ae date on Saturdays,' ah say.

'Noo she remembers, praise the lord.'

'How long huv ye been watchin me?'

'No that long. But it wis Yotta's first project so ah thought ah'd keep an eye on ye tae make sure it didnae aw go tae pot. Looks lit ah shid've kept a closer eye near the end there.'

'And whit urr ye here fur noo? Ah thought ah wis done?'

The first few flakes ae snow appear in the air, jist lit the weatherwoman said. They float tae the groond and land and melt and disappear lit magic.

'Like ah said, Daisy, ye've impressed some ae the higher ups. Despite Yotta's miscalculations, ye ended up bein a very successful specimen. Some members on the board hink ye might be suited fur a further project.'

Ma hawns start tae shake and ah hope she disnae notice. Ma heart doubles its speed, then doubles again.

'Back another sixteen days?' ah ask.

'It's no iways sixteen days, ye need tae understand. Sometimes it's longer, *much* longer. And sometimes it's no *back* at aw. We wur hinkin ye might join us in the Inner Circle.'

Ma mind starts runnin wild wi possible ootcomes tae this chat. Aw ah want right noo is tae be left in peace fur a while tae enjoy the rest ae the year wi ma mum.

'Whit does that mean?' ah ask.

'Ah'll leave that up tae yer imagination fur the time bein, Daisy. Anyway, ah best be makin tracks, don't want tae take up any mair ae yer time. You enjoy yer Christmas. Ye'll be hearin fae us soon.'

Ma heart, ready tae pop, jist aboot jumps oot ma chest when thur's a rattle at the windae behind me. Mum opens the door and leans oot.

'Who wur ye talkin tae?' she asks, rubbin her arms against the cauld.

'Aw, jist,' ah say, turnin roond tae find Eleanor disappeared. They aw fuckin love that wee disappearin trick. 'Naebdy, Mum.'

'Well, get back inside, it's fuckin baltic oot here. And look whit's on. Frances wid say it's a fantasy fulm, eh?'

Ah adjust ma gaze past her, tae the telly screen. Jimmy Stewart, in crackly black and white, spreads his arms wide tae show how big he wants his suitcase tae be.

'Perfect,' ah say. 'Jist gimme a minute.'

'Ah'll open the Quality Street,' Mum replies, shuttin the door back ower.

Ah finish ma fag and crush it against the wall. The snow gets heavier. It starts tae lie and makes a dusty, white postcaird ae oor back garden. Ah go on ma tiptoes and make ma way ower the slabs and grass ae the garden in ma bare feet.

Ah reach the blue bin. The wee picture Eleanor drew is still jist aboot visible under the first fluffy layer ae snow.

A long flat circle wi a line through it. Eight dots on wan side ae the line, seven dots on the other. Ah wipe it away, soakin ma hawn. It stings in the cauld air.

'And roond and roond and roond we go.'

END OF THE LINE

RESOURCES & LINKS

If you're struggling with your mental health at the moment, here are some folk you can get in touch with:

Samaritans
Call – 116 123
Email – jo@samaritans.org
App – Samaritans Self-Help

Childline (if you are under 19)
Call – 0800 1111

Switchboard (if you are LGBT+)
Call – 0300 330 0630
Email – chris@switchboard.lgbt

Shout
Text – 85258

ABOUT THE AUTHOR

Ross Sayers is a Young Adult author from Stirling. His previous novels, 'Mary's the Name' (2017) and 'Sonny and Me' (2019) are available from all good bookshops and some truly dodgy websites.

You can tweet him @Sayers33, see more of his writing at rosssayers.co.uk, or find him right now, sitting in the corner by that silver lamp you got from IKEA, Lisa. (Bound to give at least one Lisa a fright).

Photo credit: Chris McGowan

ACKNOWLEDGEMENTS

As ever, a huge thank you to my friends and family who read early drafts of the book when they were under no contractual obligation to do so. (Especially Vari, who wrote the best line in the entire book and let me have it.)

The book wouldn't have been possible with Cranachan Publishing, the support of #ClanCranachan, and Anne Glennie, the hardest working woman in Scottish publishing.

'Daisy on the Outer Line' received a Scots Language Publication Grant, funded by the Scottish Government and administered by the Scottish Book Trust. Thank you to all involved with this debatable decision, for seeing the potential in the book after only a few chapters.

Thank you to Charlie Care (Instagram: @charliecare.art) for the subway image used throughout the book.

Lastly, a retroactive thank you to Pat Mooney for giving me the name 'Battlefield High' for the school in my previous book, 'Sonny and Me'. I forgot to mention him at the back of that one. Better late than never.

Printed in Great Britain
by Amazon

61900444R00225